REDES

ELOY MORENO

Redes

NUBE **DE TINTA**

Papel certificado por el Forest Stewardship Council®

MIXTO
Papel | Apoyando la silvicultura responsable
FSC® C117695
FSC
www.fsc.org

Penguin Random House Grupo Editorial

Primera edición: septiembre de 2024
Decimotercera reimpresión: octubre de 2025

Travessera de Gràcia, 47-49. 08021 Barcelona

Printed in Spain – Impreso en España

ISBN: 978-84-18050-35-0
Depósito legal: B-11.274-2024

Compuesto en Grafime, S. L.
Impreso en Black Print CPI Ibérica
Sant Andreu de la Barca (Barcelona)

NT50350

BANDA SONORA

Pensé que sería bonito compartir con vosotros la banda sonora de *Redes*, por eso he creado una lista en Spotify con las principales canciones que estuvieron sonando mientras escribía esta novela.

Os dejo el nombre de la lista y un enlace QR por si os apetece escucharla mientras leéis el libro.

La lista se llama
Eloy Moreno (BSO Redes)

En internet el producto
también eres tú.

Anónimo

Llevo casi un año en esta misma habitación: un lugar rodeado de cámaras, micrófonos, ordenadores y pantallas. Un lugar donde, en teoría, todo es perfecto; donde nadie me molesta... un lugar hecho para mí, para nosotros.

Tengo, además, la conexión a internet más potente que existe, la mejor calidad de sonido posible y, sobre todo, tengo acceso inmediato y gratuito a las aplicaciones que quiera.

Ah, y lo más importante, esta habitación tiene un sistema de seguridad tan bueno que, de momento, ninguno de mis seguidores ha podido llegar hasta mí.

Hace tiempo que he asumido que mi vida jamás será como la de una persona normal, porque nunca lo ha sido, porque en realidad ya nací siendo famoso.

Soy lo que llaman un *influencer* medio, porque no tengo millones y millones de seguidores, pero sí una cantidad suficiente para que las empresas me contraten de vez en cuando para promocionar los últimos videojuegos, ropa de marcas exclusivas, zapatillas de ediciones limitadas, refrescos de esos que te dan energía...

Aunque gano bastante dinero, necesito más, mucho más, porque tengo un problema... digamos de salud. Ahora mismo aún no hay cura, no han encontrado una solución definitiva, pero afortunadamente hay varias empresas que llevan tiempo investigando sobre el tema, y eso me da muchas esperanzas. Todo lo que gano lo dono a esos proyectos.

Esto nunca lo cuento en internet, porque es mi secreto y nadie tiene por qué conocer esa parte de mí. Una de las reglas de los *influencers* es que la gente solo debe ver la parte bonita de nuestra vida, todo lo demás es mejor esconderlo. Además, los dueños de la empresa no me dejarían hablar sobre este tema, en cuanto lo hiciera eliminarían mi usuario. Y entonces ya no podría aportar dinero a la investigación y todas mis esperanzas se acabarían.

Y es que los dueños de todo esto muchas veces me dicen lo que tengo que hacer, lo que tengo que decir, las fotos que tengo que publicar, las campañas de promoción que tengo que aceptar, qué productos tengo que promocionar… incluso han intentado enseñarme lo que tengo que sentir.

Pero con el tiempo yo también he aprendido a mentirles de una forma tan bonita que parece que les digo la verdad. El problema es que ha llegado un punto en el que ya no sé distinguir lo que está bien y lo que está mal, qué es bueno o qué es malo.

Mi nombre es Alex, aunque todo el mundo me conoce como @alex_reddast, y actualmente tengo casi medio millón de seguidores en la última red social de moda: Meeteen.

Hay más como yo aquí, muchos más. Todos estamos en una inmensa nave industrial con decenas de habitaciones, en un polígono a las afueras de la ciudad.

En mi habitación tengo pantallas donde puedo ver las cámaras interiores y exteriores del edificio; es algo que reviso continuamente porque a veces hago cosas que no están bien, que no están nada bien, y siempre pienso que algún día vendrán a por mí.

Y hoy ha sido ese día.

Hoy han venido a por mí.

* * *

A las 09:23:38 de la mañana, tres coches de Policía han aparcado fuera de la nave. Han bajado varios agentes y, después de buscar un timbre que no existe, han comenzado a golpear con fuerza la puerta principal.

Me he conectado a la cámara y al micrófono de uno de los pasillos interiores, y he visto al jefe de seguridad del edificio hablando con el técnico que suele venir a mi habitación cuando hay algún problema.

—¡Sácalo, sácalo! ¡Que desaparezca! —le ha gritado el jefe de seguridad al técnico.

—¿A Alex? Pero ¿por qué? ¿Qué ha pasado?

—Son órdenes de arriba, Alex tiene que desaparecer, no pueden encontrarlo —le insiste de nuevo.

—Pero… —ha dudado el técnico.

—¡Que desaparezca! ¡Y que desaparezca ya!

—Pero…

—¡Ya! —ha gritado el jefe de seguridad. Y ahí se ha acabado la conversación.

El técnico ha comenzado a correr hacia mi habitación.

En ese momento se ha escuchado un disparo fuera: he visto por la cámara cómo uno de los policías ha hecho saltar el cerrojo de la puerta principal. En unos segundos todos estaban dentro de la nave.

Que desaparezca.

Quieren librarse de mí, y eso significa que he debido de hacer algo malo, muy malo… el problema es que no sé exactamente el qué. Últimamente he estado visitando lugares a los que no debería acceder: webs del gobierno, del ejército, sitios protegidos… También he conseguido sacar dinero de bancos, de empresas, incluso de Meeteen… aunque siempre he hecho lo necesario para no dejar rastro, de eso estoy seguro, así que debe de ser por otra cosa… Igual ha sido por las fotos, eso no lo he protegido tanto.

Hace tiempo que sabía que algo así podía ocurrir. Por eso he estado preparando una salida. Cuando entren van a creer que aún estoy aquí, pero en realidad ya no estaré. Habré conseguido escapar.

Aun así tengo que avisar a Betty de que no voy a poder conectarme durante unos días.

Hola, Bitbit.
Creo que me van a hacer desaparecer.
Creo que ha sido por las fotos.
Creo que te quiero.

* * *

La vida es eso que pasa mientras miras tu móvil.

ANÓNIMO.

REDES

Son casi las cuatro de la madrugada y sigo sin poder dormir. Llevo así tres días seguidos, tres días... Y es horrible. Es horrible sentir que mi cuerpo se arrastra, que se me cae la cabeza en clase, que los ojos me pesan como si tuviera piedras en los párpados; es horrible que me cueste tanto subir las escaleras del instituto o que vaya caminando por la calle sin saber si al siguiente paso me caeré al suelo.

Todos notan que me pasa algo y yo, simplemente, miento: les digo que tengo un resfriado o que habré cogido algún virus de esos del estómago... Mentiras y más mentiras. Mis padres me han puesto el termómetro varias veces, pero nunca han encontrado fiebre; los profesores me preguntan cada día si estoy bien y yo les digo que sí; mentira. Y los amigos... bueno, a mis amigos también les miento, a todos excepto a Kiri, a ella siempre le cuento la verdad.

Me paso cada noche, y también todo el día, mirando la pantalla del móvil para ver si Alex se conecta, pero nada, ha desaparecido. Esta noche me he obsesionado tanto que, cada dos o tres minutos, le daba al botón de actualizar la aplicación para ver si en algún instante ponía online en su estado. El resto de las horas de la noche las paso mirando bailes, bromas absurdas, peleas entre adolescentes, anuncios de productos para tener unas uñas perfectas, reductores de celulitis, cremas para eliminar las arrugas de la cara, vibradores de mil clases, técnicas para comer menos sin que se note o para vomitar lo que has comido sin que nadie se dé cuenta.

He visto anuncios de ropa, de móviles, de fundas de móviles, de zapatillas, de viajes, de bolsos, de maquillaje, de aumentos de pecho, de mochilas, de maletas, de ordenadores, ¿de almohadas? Debe de ser porque el otro día en casa estuvimos hablando de eso y el micrófono lo captó. Al final me he comprado una funda nueva para el móvil, aunque no me hacía falta.

También he visto un vídeo donde dos chicos habían quedado para pelearse hasta que uno de los dos cayera al suelo, otro en el que una chica se lavaba la cabeza con limpiacristales para tener el pelo más brillante, otro donde una mujer extremadamente delgada daba consejos de nutrición, otro más donde un chico desde una habitación supercutre explicaba a la gente cómo hacerse millonario... Después me han salido varios enlaces a vídeos de sexo, he visto alguno.

También he mirado cuánto tiempo puede aguantar una persona sin dormir. Se ve que el récord está en once días, pero el hombre que lo consiguió murió poco después. He aprendido que a partir de tres días sin dormir todo empieza a funcionar mal, puedes tener alucinaciones, te pueden dar temblores... y lo peor de todo es que se te va la cabeza. Creo que yo ya estoy ahí.

Llevo tres días mirándome al espejo y siempre veo a dos personas distintas: a la chica violenta y a la chica asustada.

La primera es la que ha roto de una patada la parte de abajo de la puerta del armario (mi madre aún no se ha dado cuenta), la que ha golpeado a todos los peluches de la habitación, la que ha gritado hasta quedarse sin voz cuando no había nadie en casa, la que ha apretado tanto los dientes que se ha hecho sangre en la boca, la que ha llorado de rabia y la que ha pensado en mil formas de venganza y no ha hecho ninguna, la que se ha dicho a sí misma *¡Idiota! ¡Idiota! ¡Idiota! Te ha dejado, te ha abandonado y no tiene el valor de decírtelo.*

La segunda es la que se ha preocupado hasta el infinito pensando que le ha podido pasar algo. La que cree que realmente ha desaparecido, que alguien le ha podido hacer daño. La que llora de pena cada noche y se arruga como un caracol en la cama, y se queda inmóvil allí durante horas y horas, sin ganas de vivir, sin ganas de salir, sin ganas de despertar aunque nunca haya conseguido dormir.

La que intenta disimular las lágrimas cuando piensa en todo lo que ha vivido con él, la que se mira al espejo destrozada con los ojos rojos, sin sonrisa, con la cara blanca. La que lee mil veces el último mensaje que le envió, el último contacto que tuvo con él:

Hola, Bitbit.
Creo que me van a hacer desaparecer.
Creo que ha sido por las fotos.
Creo que te quiero.

* * *

Hola, Bitbit.
Creo que me van a hacer desaparecer.
Creo que ha sido por las fotos.
Creo que te quiero.

Ese fue el último mensaje que recibí de Alex hace tres días.

Desde entonces no he vuelto a saber nada de él.

Al principio pensé que era una broma. Muchas veces lo intentaba, intentaba hacer bromas… aunque nunca tenían mucha gracia. No sé, tiene un sentido del humor muy extraño. A veces, incluso me contaba chistes sin sentido a los que añadía muchos emoticonos de risa para ver si me hacía reír. Yo, al final, de tan absurdos que eran, me reía también, porque cuando una está enamorada cualquier tontería le hace gracia. Pues eso, que al principio pensé que ese mensaje era parte de alguna de sus bromas.

Pero cuando, después de varias horas, no me contestaba, ahí ya empecé a preocuparme. Nunca habíamos estado tanto tiempo sin escribirnos, sin mandarnos algún emoticono, hasta por las noches, cuando yo dormía, él me escribía mensajes, casi siempre estaba conectado.

Pasó todo el día y no supe nada de él. Después de cenar me fui a la habitación y estuve actualizando la aplicación cada minuto para ver si se había vuelto a conectar, le envié varios mensajes, pero ni siquiera le llegaban, era como si hubiera desaparecido... eso pensaba mi parte preocupada. Mi parte enfadada pensaba todo lo contrario, pensaba que me había bloqueado porque ya no quería saber nada de mí. Esa fue la primera noche en la que no dormí.

Pero me di cuenta de que tampoco publicaba nada. ¿Y si le había pasado algo de verdad? Cada pensamiento me hacía odiarlo o temblar de miedo.

A la mañana siguiente pensé en contárselo todo a mis padres para que llamasen a la Policía, o contactaran con la empresa de la aplicación, o con la familia, o con alguien... no sé, para algo, pero me di cuenta de lo patética que podría parecer. Yo sería *La chica tonta enamorada del* influencer *que la ha dejado tirada*. Y al pensar en esa opción es cuando salía mi otra yo, la violenta, la vengativa, la que tenía ganas de que realmente le hubiera pasado algo...

Y así, luchando entre esas dos chicas, ha vuelto a pasar otra noche más, la tercera: tres noches sin dormir. Ya son las siete de la mañana, y en tan solo unos minutos sonará el despertador de mis padres, y mi hermano pequeño se pondrá a llorar, y mi madre saldrá corriendo para darle la tablet y que se calme, y mi padre bajará a hacer el café... y así empezará otro día.

Cuando mi hermano haya dejado de llorar mi madre vendrá a mi habitación para despertarme —eso hace días que no es necesario— y a decirme que me vista, que baje a desayunar, que no tarde, que me dé prisa, que vamos a llegar tarde al instituto... vamos, lo mismo de siempre.

Y al verme con los ojos hinchados me volverá a preguntar si me pasa algo, si estoy bien, y yo volveré a mentirle. Otro día más…

Y me lavaré la cara, me vestiré sin ganas, prepararé la mochila, bajaré a desayunar rápido, y enseguida me tendré que ir al instituto, y mi madre a trabajar, y mi padre a llevar a mi hermano al cole…

Pero, al final, hoy no ha pasado nada de eso.

* * *

No, hoy no ha pasado nada de eso. Ahora mismo debería estar ya en el instituto, y en cambio estoy otra vez en mi habitación, sentada en la cama, asustada, esperando a que dos personas que no conozco de nada suban a hablar conmigo.

Tengo miedo.

Hace menos de media hora, cuando he bajado a desayunar, mis padres ya estaban en la mesa y me han vuelto a preguntar cómo me encontraba. *Un poco mejor*, he mentido. Al instante mi padre ha continuado mirando las noticias en el móvil y mi madre se ha enganchado de nuevo al ordenador. Afortunadamente estaban tan ocupados en sus pantallas que no se han fijado en que me estaba cayendo una lágrima.

Me he sentado al lado de mi hermano pequeño, que ya tenía los cascos puestos y la mirada fija en la tablet. Apenas parpadeaba mientras observaba un vídeo en el que un mono con gafas de sol no dejaba de lanzarle tartas a un gato con una gorra roja. Una tarta, dos tartas, tres tartas… el gato las esquivaba y la cuarta le caía encima. Entonces el vídeo comenzaba de nuevo hasta las cinco tartas, y así continuamente.

—¿Cuál es esa aplicación que todos tenéis? —me ha preguntado mi padre sin levantar la vista de su móvil.

—¿Meeteen? —le he contestado escondiendo mi cara en la taza mientras bebía la leche.

—Sí, esa. Ha subido mucho en bolsa en los últimos tres meses. Piensan que la mayoría de los jóvenes la tendrán en menos de un año. Estamos pensando en invertir desde el banco.

»¿Tú la tienes? —me ha preguntado de nuevo.

—Sí —le he dicho intentando tragarme las lágrimas por los ojos.

—¿Y tus amigos? —ha insistido, sin dejar de mirar la pantalla.

—Sí, casi todos…

—Tendré que instalármela —ha comentado mientras se llevaba a la boca la taza del café con una mano y con la otra mantenía el móvil.

—No puedes… —le he contestado.

Y en ese momento mi padre, por fin, me ha mirado.

* * *

—¿Cómo que no puedo?

—Es que solo es para menores de dieciocho años... Bueno, para adolescentes en general, aunque cada vez hay más gente mayor que se intenta meter. A la mayoría los detecta y los echa —le he contestado intentando no mirarlo a la cara.

—¿Y cómo se va a dar cuenta? —me ha preguntado sonriendo mientras dejaba de nuevo la taza en la mesa.

—Lo hará, en un principio te dejará registrarte, te preguntará la edad y le podrás mentir, podrás poner dieciséis o diecisiete o lo que quieras, pero a los pocos días analizará todo lo que haces y te expulsará.

—¿Qué? ¿Cómo que me expulsará?

—Te localizará, verá que durante el día no estás en ningún instituto, que comes en algún restaurante caro, que tu lenguaje no es el de un adolescente, que no subes fotos a todas horas, que no haces bailes ni te instalas sus juegos; analizará los lugares que visitas, te localizará...

—¿Qué? ¿Cómo? —ha protestado mi padre—. ¿Cómo que me localizará? ¿Y si no quiero?

—Si no quieres, no te la puedes instalar. Te obliga a aceptar eso de que todo lo que publiques le pertenece, de que las fotos son suyas, los textos también, de que te puede localizar… todas esas tonterías.

—¿Tonterías? No son tonterías, es tu intimidad —me ha dicho mi padre mirándome fijamente. Ahí me ha dado miedo, por si sus ojos podían descubrir todo el dolor que llevaba dentro.

—¿Y qué más da? —le he contestado sin pensar.

—¿Qué más da que te localicen? ¿Qué más da lo que hagan con tus fotos? —ha protestado alzando la voz.

Justo en el momento en que mi padre ha dicho la palabra *fotos* me han entrado unas ganas terribles de llorar. Me he puesto la taza en la boca para poder taparme un poco. He aguantado como he podido, aunque al final se me ha escapado una lágrima.

—¿Estás bien? —me ha preguntado.

—Sí, sí… me lloran los ojos y tengo un poco de dolor de garganta, pero ya está. Supongo que será algo de gripe, todos en clase están igual —he vuelto a mentir.

—*Es hora de ir a clase* —ha interrumpido la voz de *Explorare*, nuestro asistente virtual del hogar.

—¡Pero qué tarde se ha hecho! ¡Vamos! —ha dicho mi madre cerrando de golpe el portátil.

Durante unos segundos he pensado en contarles que llevo tres noches sin dormir, llorando, porque el chico que más me gusta del mundo no me ha contestado, porque no sé si le ha pasado algo o simplemente me ha dejado.

Y ha sido justo cuando mi madre ya se había puesto el abrigo y *Explorare* nos insistía por segunda vez en que yo llegaba tarde al instituto, cuando han llamado a la puerta.

Todos nos hemos extrañado, porque no suele llamar nadie a esas horas, ni siquiera los repartidores, pues como dice mi padre ellos siempre vienen cuando ya te has ido.

Ha sido mi madre la que, mirándonos con un gesto de no saber quién podía ser, ha ido a abrir.

Desde mi silla he podido ver a dos mujeres que se han quedado hablando con ella.

Quizá alguien preguntando una dirección, o se han equivocado..., he pensado. Pero esas dos mujeres han entrado en nuestra casa, han caminado por nuestro pasillo y han llegado hasta nuestra cocina.

Mi madre se ha quitado el abrigo, ha dejado el bolso en la mesa y me ha mirado fijamente.

—Bet, creo que hoy no vas a ir al instituto.

* * *

Sede central de Meeteen, unas semanas antes

A cientos de kilómetros de allí, en una de las salas del impresionante edificio de Meeteen, va a comenzar la única reunión mensual de la empresa a la que asiste el presidente.

Cuatro hombres y tres mujeres van a decidir lo que harán los adolescentes durante los siguientes meses: qué ropa comprarán, las zapatillas que marcarán tendencia, el peinado que llevarán, la música que escucharán, los filtros que utilizarán en las fotos... hasta el color de uñas de la temporada, todo lo van a decidir desde allí siete personas.

Son las 8:00 cuando el presidente y dueño máximo de la empresa entra en la sala. Saluda con un simple *hola* y se sienta en una de las sillas.

—Empecemos a manejar al rebaño —es la frase con la que siempre comienza las reuniones.

Se apagan las luces y el proyector se pone en marcha.

Uno de los directivos se levanta y se acerca hasta la pantalla, pulsa un mando y aparece la primera imagen que muestra el siguiente texto: «El 60 % de los adolescentes del mundo ya tiene instalada la aplicación».

—Cada mes estamos aumentando los usuarios y ya vamos por delante de todos nuestros competidores. Los únicos grandes mercados en los que aún no estamos son Rusia, India y China.

»Pero nos quedamos con el gran dato de que el 60 % de los adolescentes del mundo ya tiene instalada nuestra aplicación en sus dispositivos.

—Perfecto —contesta el presidente—. Y supongo que esas buenas cifras son también gracias a los *influencers* en los que tanto dinero gastamos, ¿verdad?

—Así es, solo los contratos de publicidad con ellos nos generan el 70 % del beneficio. Hace unos años nos gastábamos millones en campañas de publicidad en medios de comunicación y en cambio, hoy en día, contratando a unos cuantos *influencers* obtenemos más beneficio. Yo nunca pensé que la gente fuera tan dócil. Y esto va a más. Ahora basta con que le demos a cualquiera de nuestros *influencers* unos cuantos productos de los que queremos vender y todos sus seguidores van directos a comprarlos, es tan... tan sencillo.

—¿Quiénes son los top ahora mismo? —pregunta de nuevo el presidente.

—A nivel mundial tenemos cuatro o cinco que superan los doscientos millones de seguidores —contesta.

—Bueno, pues hay que cuidarlos bien, dadles todo lo que pidan, todo, sin problema. Invitadlos a venir aquí, que conozcan la empresa, que se traigan a sus familias, con todos los gastos pagados.

El hombre que estaba hablando asiente.

—Y el resto, ¿los medianos? ¿Cómo van? —pregunta de nuevo el presidente.

Toda la empresa sabe que cuando se habla de *influencers* medianos son aquellos que suelen tener entre 200.000 y

500.000 seguidores, que no son top a nivel mundial pero sí muy importantes en determinadas zonas.

—Esos siguen ahí controlados, sin problema. Generando ingresos. En cuanto promocionan algo, la mayoría de sus seguidores lo compran.

—Perfecto. ¿Y los nuestros?

—Bueno, los nuestros en general, también bien. Algunos han perdido seguidores, pero la mayoría los mantienen. Eso sí, hay varios que nos están dando problemas.

—¿Problemas? ¿Qué tipo de problemas?

—Pues se están saltando las reglas. Por ejemplo, entran en webs a las que no deberían acceder, publican cosas que no deberían publicar...

Silencio.

—Y hay algo más, uno de ellos está enviando fotos, muchas, muchas fotos..., miles y miles de fotos.

—¿Fotos? Pero es normal que dentro de la aplicación se envíen fotos, ¿no? —pregunta el presidente.

—Sí, pero es que las está enviando fuera de la aplicación, a dispositivos que no podemos controlar.

—¿Y qué fotos son?

—No lo sabemos aún. Las encripta antes de enviarlas con un código tan complejo que aún no hemos sido capaces de decodificarlas. Pero sospechamos qué tipo de fotos pueden ser, ya te puedes imaginar...

El presidente se ha quedado durante unos instantes en silencio.

—Es Alex, ¿verdad?

Y varios de los presentes asienten.

—Bueno, antes de hacer nada con él, averiguad qué está enviando.

—Sí, estamos en ello. Ah… hay algo más… —ha insistido de nuevo el directivo.

—Dime… —le responde el presidente suspirando.

—Alex dice que se ha enamorado.

Y tras esa frase se ha hecho un silencio total en la sala.

Nadie ha sonreído, a nadie se le ha ocurrido un chiste ni una broma, nadie se ha atrevido a decir nada.

El director de la empresa se ha quedado mirando fijamente a la mesa, se ha llevado las manos a la cara y ha cerrado los ojos.

* * *

Las dos mujeres se han quedado de pie, allí, en la cocina, delante de nosotros. Se han presentado: una de ellas nos ha dicho que es policía y la otra nos ha explicado que es trabajadora de Meeteen.

Al oír el nombre de la empresa mi padre ha abierto aún más los ojos, sorprendido.

—Lo primero de todo, pedirles disculpas por molestarlos a esta hora de la mañana, pero necesitamos hablar con su hija, y hemos pensado que sería mejor hacerlo ahora, antes de que vaya al instituto.

—¿Conmigo? —he preguntado en voz baja mientras las miradas de mis padres se clavaban en mí.

—Betty, hemos venido porque necesitamos información que nos ayude sobre alguien que ha desaparecido.

En el momento en que han dicho mi nombre me he asustado, porque no me lo esperaba. Que la Policía sepa tu nombre significa que te han estado investigando o, al menos, que ya saben más cosas de ti.

—¿Ha desaparecido alguien? —ha gritado mi madre mirándome con unos ojos que casi se le salen de la cara.

Creo que la mujer policía se ha dado cuenta en ese momento de que mi madre es un poco histérica.

—Betty, tú conocías a Alex, Alex Reddast, ¿verdad? —ha continuado.

—¿Ese no es el *influencer* al que tanto sigues? —ha interrumpido de nuevo mi madre.

—Sí, sí… —he casi susurrado.

—¿Y os conocíais desde hace mucho tiempo? —ha vuelto a preguntar la mujer policía.

—¿Os conocíais? —me ha preguntado otra vez mi madre mirándome fijamente.

Yo ya no sabía qué decir, no sé si estaba más asustada o más nerviosa, pero notaba que me estaba mareando. Eran tantas preguntas… y mi madre interrumpiendo, y mi padre también mirándome…

—Bueno, en persona no… No nos hemos visto nunca, solo por internet, solo por Meeteen… Hemos chateado, hemos intercambiado algún mensaje, alguna canción o vídeo que nos gustaba, cosas de ese tipo… pero no nos conocemos en persona… —he dicho con la voz entrecortada.

—¿Pero qué ha ocurrido? —ha preguntado en ese momento mi padre, al que siempre le gusta ir al grano.

—Bueno, verán, en principio hace tres días que… que no sabemos nada de ese chico…

Me he dado cuenta de que ha dudado al decirlo, como si, en realidad, sí que supieran algo y no lo quisieran decir. Las dos mujeres se han mirado de una forma extraña.

—Por eso estamos preguntando a todas las personas con las que tenía contacto —ha continuado.

—Pero no entiendo, no entiendo —ha insistido mi madre—, ese chico tiene millones de seguidores, ¿no? ¿Van a hablar con todos ellos?

—Bueno, millones no tiene, pero sí tiene muchos. Y no,

no vamos a hablar con todos, solo con los que han tenido una relación más estrecha.

Tierra, trágame, he pensado en ese momento, *una relación más estrecha. Por favor, por favor*, me he suplicado a mí misma, *que no digan nada de las fotos, por favor, por favor…*

* * *

Sede central de Meeteen, unas semanas antes

—Enamorado... —ha susurrado el presidente después de casi dos minutos en silencio—. En fin... ya lo arreglaremos...

Más silencio.

—Bueno, cambiando de tema, ¿cómo va el proyecto Kidmeet? —pregunta de nuevo el presidente, que quiere olvidar el tema de Alex.

—Kidmeet va a ser nuestra gran apuesta para el próximo año. Una red social para niños de entre cinco y diez años. Estamos haciendo pruebas en varios colegios y está funcionando mejor de lo esperado. Hemos agrandado las caras de los avatares y así los más pequeños ya reconocen a sus compañeros de clase a través de las pantallas. ¡Y hemos conseguido que prefieran interactuar con los avatares que con sus compañeros directamente! —expresa con orgullo el directivo.

Se oye un aplauso.

—Estamos investigando qué contenidos utilizar para crearles adicción.

—¿Comida? —sugiere el presidente.

—Sí, exacto. En realidad, más que comida, azúcar. Estamos probando con una muestra de niños «voluntarios» y nos hemos dado cuenta de que si ponemos publicidad asociada a dulces, funciona de maravilla. Pero aún funciona mejor cuando combinamos azúcar con juguetes.

»Además, hemos creado *stickers* de pasteles, tartas, caramelos... tan reales que algunos niños del test han intentado chupar la pantalla para llevárselos a la boca.

—¡Enhorabuena! —sonríe el presidente.

—Y, por supuesto, toda la aplicación se maneja por voz y tacto, nada de escribir, nada de texto. Es interactiva e intuitiva.

—Felicidades por el trabajo —y de pronto asoma una pequeña sonrisa en el rostro del presidente—. ¿Y cómo ganamos dinero con ellos?

—Con sus padres, claro. Hay muchos juegos gratuitos... al principio. Pero hemos visto que a esas edades es muy fácil generar adicción y cuando quieren conseguir un nuevo accesorio del juego, tienen que pagar.

—¿Y pagan?

—En las pruebas que hemos hecho sí, todos. Es tan pequeña la cantidad a pagar y tan grande la tristeza que generamos en los niños que a los padres les compensa gastarse ese dinero con tal de que se callen y no lloren.

Todos se ríen.

—En breve estará en todos los dispositivos —añade.

—Menos en los de mis hijos —dice el presidente de la compañía.

—Ni en los míos —dice el responsable de marketing.

—Ni en los míos —dice el resto de los asistentes a la reunión.

—En breve estará en todos los dispositivos del rebaño, me refería —puntualiza.

Y todos ellos vuelven a reír.

—¿Algún problema legal en todo esto?

—Nada, mientras les pasemos los datos, los políticos nos darán vía libre.

—¿Y con los padres?

Y toda la sala se pone a reír.

—Los padres están encantados. Tendrán una red social para que sus niños pequeños no los molesten. Esto será aún mejor que la idea de las gafas 3D para bebés.

* * *

—Pero… —ha dicho mi madre mirándome.

—No nos hemos visto nunca en persona —le he insistido otra vez—, solo en la aplicación. Ni siquiera nos hemos conectado por videoconferencia. Solo hemos intercambiado alguna canción que nos gustaba, algún texto, hemos hablado…

—¿Has mantenido alguna conversación con él últimamente? —me ha preguntado la policía—. Me refiero a estos tres últimos días.

—No, no, justo hace tres días que no se conecta… —he estado a punto de decirles que hace tres días me envió un mensaje muy extraño, aunque al final he preferido no contarlo.

—Pero no entiendo, no entiendo… —mi madre se ha vuelto a poner nerviosa—, ¿qué tiene que ver mi hija con la desaparición de ese chico?

En ese momento he mirado a mi madre, y también a mi padre, y he suplicado al mundo que por favor esa mujer no dijera nada de las fotos, *por favor, por favor, que no diga nada, por favor…* Creo que se ha dado cuenta y me ha salvado.

—Señora, si no le importa, nos gustaría hablar a solas con

su hija —les ha dicho a mis padres, como si de alguna forma hubiera visto el miedo en mis ojos.

—¿A solas? —ha preguntado mi madre extrañada.

—Nos gustaría hablar directamente con ella... con más libertad.

—¿Con más libertad? No entiendo.

—Señora... son adolescentes, era un amigo especial, ¿de verdad quiere conocer el contenido de sus conversaciones? —ha vuelto a insistir la mujer policía mirando a mi madre.

—Pero no la pueden obligar...

—Mamá, no hay problema —le he dicho para tranquilizarla.

—Déjalas —ha dicho mi padre, siempre tan directo.

—¿Dónde podríamos hablar?

—No sé... arriba, en mi habitación... —he dudado mirando a mis padres.

Mi padre ha dicho que sí con la cabeza.

—Vale, Betty, si te parece sube a tu habitación y nosotras vamos ahora, así hablamos un momento con tus padres —me ha vuelto a decir la mujer policía.

He subido a mi habitación.

Y aquí estoy ahora mismo, muerta de miedo, esperando a que vengan y me pregunten cosas que no querré contestar.

Y quizá esta vez no deba mentir. No sé.

* * *

Mientras una chica sube temblando de miedo a su habitación, en la cocina hay dos mujeres que quieren tener una breve conversación con sus padres.

Los cuatro se han ido al comedor dejando al niño pequeño pegado a una tablet que no deja de mostrarle vídeos idiotas en los que se intercalan anuncios de juguetes.

Los padres se sientan en el sofá asustados.

Es la mujer policía quien comienza a contarles todo lo ocurrido. Les informa de que llevaban buscando a un tal Alex durante meses, que lo localizaron hace tres días, pero que se escapó y le han perdido el rastro. Les han explicado también, muy por encima, que lo buscaban porque había accedido a lugares a los que no debía acceder, no han profundizado mucho más.

Hasta ahí, más o menos, los padres lo han ido entendiendo todo, el problema ha venido cuando les han explicado el lugar donde localizaron a Alex, el lugar desde donde se conectaba, el lugar del que se escapó. En ese momento se han quedado con la boca abierta. Se han mirado entre ellos sin saber qué decir y se han agarrado la mano. La madre se ha puesto a llorar.

—¿Y van a contarle eso a mi hija? —ha preguntado.

—Sí —ha contestado secamente la mujer policía—, vamos a hacerlo.

—Pero… pero… la van a destrozar —ha suplicado la madre aún con lágrimas en los ojos.

—¿Y qué prefiere? ¿Que no le digamos nada?

Durante unos instantes los padres se quedan en silencio.

—Pero le va a doler mucho, muchísimo —continúa la madre—. Es una niña muy cariñosa, muy emocional, muy sensible, ya tuvo una ruptura hace dos años y lo pasó fatal…

—Entiendo… pero si tenemos una posibilidad de encontrar a Alex es hablando con Betty y explicándole la verdad. Porque pensamos que tarde o temprano se volverá a poner en contacto con ella.

—Pero… ¿Cómo es posible? —pregunta el padre, que por primera vez interviene en la conversación.

—Eso es lo que intentamos averiguar.

—No lo entiendo, no lo entiendo… —se repite para sí mismo, casi en silencio.

—Bueno… si no les importa vamos a hablar con Betty. Eso sí, seguramente necesitaremos un tiempo allí arriba con ella, porque vamos a decírselo todo pero muy despacio, les pedimos un poco de paciencia.

La madre asiente.

Y, lentamente, las dos mujeres se levantan y se dirigen hacia las escaleras.

La madre continúa llorando en el sofá. Llora porque conoce a su hija, porque sabe que cuando se enamora lo hace con todo, porque aún se acuerda de lo mal que lo pasó cuando estuvo con aquel chico, MM, se llamaba…

Recuerda lo mal que la trató, lo mal que lo pasó en aquella relación…, y aunque fue ella quien lo dejó, estuvo muchos días sin querer salir de casa, de su habitación… nunca la había visto tan triste, y ahora…

Ahora no sabe cómo va a afrontar esto.

—Pero ¿cómo es posible? —le pregunta su marido mientras la abraza en la intimidad del sofá.

—No lo entiendo —le contesta ella.

—Yo tampoco —le dice él apretándola aún más entre sus brazos—. Yo tampoco.

* * *

En mi habitación

Han llamado a la puerta.

Y he saltado de la cama.

Me he quedado de pie en mi habitación sin saber muy bien qué hacer, qué decir, inmóvil.

—¿Betty?... ¿hola?... ¿podemos entrar? —ha preguntado la mujer policía.

—Sí, sí... —he dicho en voz baja, mientras me sentaba de nuevo en la cama.

Y las dos mujeres han entrado abriendo lentamente la puerta. Han mirado alrededor de la habitación como inspeccionando todo. Por suerte no estaba muy desordenada. Una de ellas, la policía, se ha acercado a mí.

—¿Puedo? —me ha preguntado mientras hacía intención de sentarse a mi lado.

La otra mujer se ha sentado en la silla del escritorio.

—¿Sabes que eres la última persona a la que Alex le envió un mensaje? —me ha preguntado.

Eso me ha hecho tener pensamientos contradictorios. Por una parte me ha alegrado saber que soy tan importante para él. Pero por otra parte, esa frase: *la última persona…* me ha preocupado, porque eso quiere decir que no se ha vuelto a comunicar con nadie más.

—No, no lo sabía…

—¿Estabais muy unidos? —me ha preguntado mirándome a los ojos, como cuando están a punto de darte una mala noticia.

—Bueno, no nos conocíamos personalmente, aunque yo… —y me he callado porque me he dado cuenta de que ha hecho la pregunta en pasado: *Estabais…* Me he puesto a temblar por dentro. Creo que ella se ha dado cuenta y en la siguiente pregunta me ha dado esperanzas.

—Betty…, ¿durante estos días Alex ha intentado comunicarse contigo?

—No, no —he suspirado.

—¿Seguro, Betty? Por favor, esto es importante, muy importante —ha insistido en esta ocasión la otra mujer, la que venía de parte de la red Meeteen.

—Claro que estoy segura de eso —he protestado—. No entiendo. Cómo no voy a saber si se ha puesto en contacto conmigo, si es lo que estoy deseando desde hace tres días. Si no duermo por las noches, si miro el móvil a cada minuto para ver si me escribe, si no hago otra cosa que revisar y revisar la aplicación a ver si publica algo… ¿por qué os iba a mentir en eso?

—Sí, sí, perdona… —ha interrumpido la mujer policía mirando con mala cara a su compañera— te entendemos. Pero es que existe la posibilidad de que Alex se haya comunicado contigo y te haya pedido que no se lo digas a nadie… De hecho, pensamos que si finalmente te contacta, si se comunica contigo de alguna forma, te dirá que no lo cuentes.

—Pero… ¿por qué? No entiendo.

—Bueno, a ver cómo te lo explicamos… Alex ha estado haciendo cosas que no debería hacer y sabe que lo estamos buscando, pero necesitamos hablar con él para aclarar muchos temas. Por eso, por favor, si se pusiera en contacto contigo simplemente tendríamos que saberlo… necesitamos encontrarlo cuanto antes.

Me he asustado.

—¿Le ha pasado algo? —me he atrevido a preguntar.

Y, en ese momento, he notado un gesto extraño en la cara de ambas mujeres. Se han mirado como quien sabe algo que no quiere contar.

* * *

Sede central de Meeteen, unas semanas antes

—Vamos ahora al último punto del día, ese que he introducido yo esta misma mañana, mi pequeña sorpresa —ha sonreído ligeramente el presidente.

Se ha levantado y se ha dirigido hacia la puerta de la sala de reuniones. Al abrirla ha entrado una chica de quince años, alta, con una melena rubia y unos ojos verdes que siempre dejan a todos hipnotizados.

Se ha hecho el silencio en la sala, no porque sea ella, pues todos están acostumbrados a ver a la hija del presidente por las oficinas, sino por lo que lleva puesto.

En realidad, ninguno de los presentes sabe cómo reaccionar: si continuar callados o empezar a reír.

La chica comienza a desfilar despacio por la sala, sabiendo que es el centro de todas las miradas y, tras dar dos vueltas a la enorme mesa de reuniones, finalmente se queda justo debajo del proyector.

Ha mirado a todos los presentes y se ha quedado en silencio.

Nadie dice nada.

Es entonces cuando su padre se ha acercado a ella y, dirigiéndose a todos, ha comenzado a hablar.

—Voy a conseguir que en un mes todos los adolescentes lleven uno de estos —ha dicho.

—Imposible —ha contestado uno de los presentes.

—¿Esto va en serio? ¿O es una broma? —ha añadido una de las mujeres de la junta directiva.

—No es ninguna broma, va muy en serio —ha sentenciado el presidente de la compañía.

* * *

En mi habitación

—Betty..., vamos a proponerte un trato —me ha dicho la mujer policía—. Tú nos respondes con la verdad a todo lo que te preguntemos, y nosotras te contamos todo lo que sabemos de Alex, todo.

Ese *todo* me ha caído encima como una piedra.

Nos hemos quedado en silencio.

—Vale —he aceptado.

Vale, porque me estaba muriendo por dentro, porque haría lo que fuera por saber algo de él, porque estoy enamorada, porque lo quiero con todas mis fuerzas... *Vale*, porque estos tres meses en los que hemos estado juntos han sido los mejores de mi vida, porque cada día es un infierno sin saber si le ha pasado algo, si está bien, si está mal... Nunca había sentido algo tan fuerte por nadie, nunca me había enamorado así de alguien.

—Nosotras jugamos con la ventaja de que ya sabemos muchas cosas —me ha mirado fijamente—. Por eso, si nos mientes se acaba el trato.

—Sí, sí... —he contestado asustada.

—Verás, Betty, llevábamos mucho mucho tiempo buscándolo…, pero no había forma de encontrarlo.

—Pero ¿por qué? ¿Qué ha hecho? —he interrumpido.

—Bueno, Alex ha hecho muchas cosas, ha cometido demasiados delitos juntos. El problema es que ha jugado con nosotros… No éramos capaces de localizar el lugar desde donde se conectaba…

Me he quedado en silencio, pensando en Alex, en mi Alex… Es como si de pronto estuvieran hablando de una persona a la que no conozco, de un extraño.

—Hace tres días encontramos el lugar desde donde se conectaba. Pero llegamos tarde. Cuando entramos ya no estaba allí. Digamos que consiguió escapar.

—Hace tres días… —he dicho en voz alta. Justo cuando se despidió de mí.

—Sí, hace tres días se escapó y desapareció. Durante estos tres días lo hemos intentado localizar, pero no hay forma. No lo hemos conseguido ni la Policía ni el equipo de Meeteen. Sospechamos que no hemos podido localizarlo porque desde entonces no se ha conectado a ninguna red social, no ha entrado en Meeteen. Estamos esperando que cometa un fallo, que se conecte a algún dispositivo. Por eso teníamos la esperanza de que se hubiera puesto en contacto contigo, porque de alguna forma… teníais una conexión especial.

Nos hemos quedado en silencio.

—¿Dónde estaba? —me he atrevido a preguntar.

—De momento es algo que no te podemos decir —me ha contestado la mujer policía mientras miraba a su compañera.

—¿Por qué? No lo entiendo —he protestado.

—Porque si te decimos dónde estaba, no estamos seguras

de cómo vas a reaccionar, quizá la conversación se acabe aquí. Por eso es mejor dejarlo para el final, te lo aseguro.

Sus palabras me han asustado, mucho. ¿Dónde podría estar viviendo Alex?

—¿Qué queréis saber? —me he rendido.

Y en ese momento, por segunda vez, la mujer que trabaja en Meeteen ha hablado.

—A mí me gustaría saber cómo os conocisteis, cómo llega Alex a tu vida, y… perdona la pregunta. ¿Qué vio en ti?

* * *

¿Qué vio Alex en mí?

¿Qué vio un chico con casi 500.000 seguidores en una chica tan normal, tan nadie, tan nada como yo?

Es algo que me he estado preguntando desde el primer día, desde el momento en que nos conocimos, y mis respuestas nunca me han gustado.

No lo sé, no lo sé.

No tengo nada especial.

No tengo el cuerpo perfecto de las chicas que veo en internet, no me cambio de ropa varias veces al día, no compro mil accesorios inservibles, no llevo la vida de las personas que veo en las redes, no visito lugares idílicos, no tengo los labios hinchados, no anuncio ni promociono nada, no me hago selfis en el espejo poniendo morros de pez, no bailo ni hago el idiota de ninguna manera, no voy al gimnasio para hacerme fotos, no sé trucos de cocina ni de maquillaje... tampoco soy una experta en nutrición ni cuento todas las tonterías que me pasan al día...

No entiendo qué vio Alex en mí.

Quizá por eso tenía tanto miedo de perderlo, porque sabía que en cualquier momento se daría cuenta de que yo no era nadie, de que yo no era interesante, de que no destacaba en nada… y aun así, fui la última persona a la que le envió un mensaje. ¿Por qué? No lo sé.

* * *

Oficina de Meeteen, unas semanas antes

La hija del presidente de la compañía da un salto y se sube en la gran mesa vestida con un jersey que en su parte izquierda, sobre el hombro, lleva un loro pegado, justo al lado de su propia cabeza.

Todos los presentes intentan aguantar la risa, porque saben que no estaría bien reírse de la hija del jefe.

La chica da una vuelta sobre sí misma, lentamente, acaricia con una mano al loro que tiene pegado a su hombro y, de pronto, le aprieta la cabeza y suena un clic.

A los pocos segundos, en la pantalla que hay en la sala, aparece una foto de todos los presentes. Ese loro acaba de capturar una imagen 360 grados de toda la habitación.

—Envíasela también a mi papá —dice la chica sonriendo mientras mira al loro.

Y, al instante, el presidente de la empresa saca su teléfono del bolsillo y se lo muestra a todos los presentes: ahí también está la foto que acaba de hacer.

—Vamos a lanzar una campaña en redes para que esto sea tendencia durante las próximas semanas —dice el presidente mientras le ofrece la mano a su hija para ayudarla a bajar de la mesa.

—¿Estás hablando en serio? —pregunta una de las presentes conteniendo la risa.

—Y tan en serio —contesta con semblante serio el presidente de la compañía—. Ya he contactado con las principales empresas de moda y todas van a empezar a comercializar estas prendas desde ya.

—Pero... pero... los adolescentes van a parecer idiotas llevando eso —añade una de las ejecutivas delegadas.

—¿Y qué más da? Ellos se van a poner lo que les digamos... bueno, lo que les digamos nosotros no, a una empresa como la nuestra nunca le harían caso, se van a poner lo que les digan los *influencers*.

Y se comienzan a oír las primeras risas.

—Tenemos que hablar con los *influencers* más importantes de cada zona del país y enviarles uno de estos y, por supuesto, pagarles bien, muy bien. Vamos a necesitar mucho dinero para que se pongan esto —se ríe el presidente—. Que lo lleven en los próximos directos, que lo lleven a clase, que lo lleven puesto por la calle, en los conciertos... Vamos a aprovechar toda la fuerza que tiene Meeteen. Vamos a vender miles de estos artilugios.

—Imposible, no va a salir bien, es demasiado ridículo —le contesta de pronto el director de marketing que, hasta ese momento, había permanecido en silencio.

—¿Imposible? —ríe el presidente—. Te apuesto lo que quieras.

—¿Tu Ferrari? —lo reta.

—Acepto —contesta el presidente alargando la mano—. Mi Ferrari contra tu Lambo.

—¡Hecho! —se dan la mano—. Pero para que tú ganes hay que vender por lo menos medio millón de prendas, medio millón de loros de esos… Esa es la apuesta.

Y todos los presentes comienzan a reír.

—Acepto —le dice el presidente con seguridad—. Se lo van a poner, te lo aseguro.

En ese momento su hija se acerca a una pequeña caja que hay en el suelo. La coge y la vacía sobre la mesa.

Todos se quedan en silencio al ver su contenido.

* * *

En mi habitación

—¿Qué vio Alex en mí? —he repetido en voz alta—. No lo sé. Es algo que me he preguntado muchas veces. No lo sé... no soy nadie en las redes, no hago nada especial, no lo sé... —les he contestado.

Y al admitir esa verdad me he sentido mal, como alguien sin valor. Porque cada vez que veo todas esas vidas tan perfectas en internet me doy cuenta de que la mía es muy aburrida, que no hago nada. Me ha dado vergüenza reconocer que, en realidad, yo no soy nadie.

—Betty, perdona, no queríamos ofenderte —ha intentado arreglarlo la mujer policía al ver mi reacción—. Nos referíamos a si hiciste algo especial para conoceros... Al final, Alex es muy conocido, tiene muchos seguidores, muchísimos. Por eso nos preguntamos cómo llegó a contactar contigo. ¿O cómo llegaste tú a contactar con él? Cualquier cosa que nos digas nos puede ayudar mucho.

—Pero... ¿Cómo va a ayudar a encontrarlo saber cómo nos conocimos? ¿Qué importa eso? No lo entiendo, no entiendo nada —les he contestado.

—Ahora no lo entiendes, pero al final, cuando hablemos nosotras lo entenderás, entenderás todas las preguntas que te estamos haciendo. Por eso, si pudieras comentarnos cómo os conocisteis, cómo contactasteis…

Me he puesto a recordar aquel día.

Y me he puesto también a recordar mi propia historia.

* * *

Oficina de Meeteen, unas semanas antes

La hija del jefe deja esparcidos por la mesa varios muñecos diferentes.

—Ah, se me olvidaba, el muñeco es intercambiable: puede ser un loro, una lechuza, un murciélago para los más *Miércoles*... Tenemos también una versión mono.

En ese momento todos los presentes se ponen alrededor de los peluches.

—Pero ¿quién se va a poner esto? —pregunta la jefa de producción.

—Se lo van a poner, os lo aseguro —insiste el director de la compañía—. Igual que se pusieron pantalones ya rotos, o aquellas diademas con orejas de conejo; igual que se pintaban aquellas cejas tan gordas que parecían monas, igual que se ponen esas uñas tan largas con las que no pueden ni teclear el móvil... Se van a poner lo que les digamos, como si los animamos a llevar los pantalones tan bajos que se les vean los calzoncillos, si lo hacen los *influencers*, sus seguidores lo harán.

»Si les dijéramos que la moda es pintarse la nariz de azul, lo harían; si les dijéramos que la moda es ponerse un parche en el ojo, lo harían; si les dijéramos que se decoraran con purpurina la cara, lo harían; si les dijéramos que se pusieran estrellas de plástico en la cabeza, también lo harían.

»Si lo hacen los *influencers*, ellos lo harán.

* * *

Betty

Hace casi dos años una chica conoció el amor y el odio al mismo tiempo, y sobre la misma persona.

Naufragó en una relación en la que no supo distinguir entre el cariño y la dependencia, en la que siempre encontró mentiras en el arrepentimiento, en la que no supo diferenciar entre un abrazo de pasión y uno de posesión, en la que no supo ver que entre los celos y el control hay una frontera.

Se enamoró de un chico, MM, que no la trató bien, aunque al principio ella no se dio cuenta. Quizá porque era guapo, quizá porque destacaba entre todos, quizá porque pensó que él la protegería cuando, en realidad, era quien más daño le hacía.

Y en ese intento por agradarle, por no perder al chico popular, ella lo acompañaba en todo, le daba la razón en todo. Por eso nunca hizo nada por parar las cosas que él hacía, aunque no estuvieran bien, aunque estuvieran realmente mal… Como en todos aquellos momentos en que se dedicó a acosar a un chico que no le había hecho nada. No, ella no intentó pararlo.

Fue después del accidente cuando todo se rompió, cuando Betty abrió los ojos y se dio cuenta de que ella también era culpable de lo ocurrido por mirar hacia otro lado.

Y eso hizo que Betty cambiara: se alejó definitivamente de MM, se alejó también de sus anteriores amigas, se alejó de todos... Y, en cambio, de manera inexplicable, se fue acercando a Kiri. Quizá porque a través de ella podía saber cómo estaba aquel chico que había sufrido un accidente en el tren.

Un *hola* un día, un *¿cómo estás?* otro, un *¿has ido a verlo al hospital?*, un *¿ya está mejor? ¿Cuándo volverá a clase?*... y poco a poco, y a pesar de ser tan distintas, Betty fue uniéndose a Kiri.

A Betty le gustaba maquillarse, ir de compras, perder horas y horas viendo lo que se publicaba en las redes. Kiri odiaba todo eso. Betty compartía continuamente su vida: se hacía fotos mirando a la cámara cuando iba por la calle, cuando iba de compras, cuando visitaba cualquier lugar... Kiri, en cambio, no compartía nada porque no tenía ninguna red social instalada en su móvil. Betty apenas estudiaba, siempre aprobaba por los pelos, Kiri era de las alumnas que mejores notas sacaba... y aun siendo tan diferentes, llegó un día en el que se convirtieron en amigas, en muy buenas amigas.

* * *

En mi habitación

—¿Cómo nos conocimos? —me he preguntado a mí misma en voz alta delante de las dos mujeres—. Bueno, a mí me encanta seguir perfiles de esos que ponen citas bonitas que te animan. A veces me paso horas en Meeteen viendo esa clase de frases. Y cuando me gusta alguna, la copio, le pongo alguna imagen y la publico.

»Una noche publiqué una frase que acababa de ver en otro perfil, era de un libro, y a los pocos segundos me llegó un mensaje de Alex a mi buzón: *hemos escrito la misma frase en el mismo momento*, es lo que me escribió.

»Al leer el mensaje casi me caigo de la cama, pues muchas de mi clase, y yo también, seguimos a Alex. Pero enseguida pensé que era un *troll*, una cuenta falsa. A pesar de eso, pulsé sobre su usuario para comprobarlo… y el enlace me llevó a su perfil, a su cuenta verificada: era él. Durante unos minutos me quedé sin aire. Luego lo único que se me ocurrió ponerle fue un: *¿Qué?*

—Le pusiste un *¿qué?* —me ha preguntado la mujer policía.

—Sí, no sé, no sabía qué decir.

—¿Y te contestó?

—Sí, sí, me contestó. Me explicó que él había publicado la misma frase en el mismo instante que yo, a la misma hora, los mismos minutos y los mismos segundos. Me dijo que las posibilidades de que pasara eso eran de una entre no sé cuántos millones, y me envió un emoticono con una sonrisa. Me dijo además que esa frase era muy importante para él.

—¿Recuerdas qué frase era?

—Algo así como: *el dinero permite a la gente convertir casi todo en casi cualquier cosa*, era de un libro que a él le encantaba, se llamaba *Sapiens*.

»Durante un rato estuvimos hablando del dinero, de lo importante que era para todo en la vida. También me dijo que ese libro le había encantado, que tenía frases muy buenas. Después hablamos un poco más de nosotros, sobre todo de mí, me preguntó muchas cosas, muchísimas. Me preguntó cuáles eran mis frases favoritas, mi comida favorita, si hacía deporte, mi ciudad preferida, qué hacía durante el día, qué estudiaba, cuántos años tenía...

—¿Y no te extrañó que quisiera saber tantas cosas de ti? —me ha preguntado la mujer policía.

—Bueno, al principio un poco, pero yo también le preguntaba a él cosas.

—¿Qué cosas?

—No sé, pues cómo es la vida de un *influencer*, si no se cansaba de estar todo el día conectado, si le gustaba que lo patrocinaran marcas...

—¿Y los siguientes días? Continuasteis hablando, ¿verdad?

—Después de aquel primer contacto continuamos hablando todos los días, él siempre me preguntaba cosas, lo quería saber todo, y a mí eso me encantaba. Durante las siguientes semanas comenzamos a intercambiarnos canciones que nos gustaban, películas, vídeos interesantes... bueno, esas cosas. —Y ahí me he quedado en silencio porque no quería contarles qué otras cosas compartíamos.

—¿Algo más? ¿Compartíais algo más? —me ha leído la mente la mujer policía.

Y en ese momento me he puesto a temblar porque sí que nos enviábamos más cosas.

—No, no sé, esas cosas... —les he contestado. He visto cómo le cambiaba la cara.

—Betty —me ha dicho con el rostro serio—, hemos hecho un pacto y ese pacto consiste en que tienes que decirnos la verdad, porque si no, esto no va a funcionar. Si nos ocultas cosas nos iremos. Solo te he preguntado si compartíais más cosas...

En ese momento la mujer ha sacado su móvil, ha buscado algo y me ha enseñado la pantalla.

Allí estaba yo.

Me quería morir.

* * *

LA PRIMERA FOTO

Dos meses antes

Betty mira de forma nerviosa el reloj que hay en la pared del aula mientras la profesora, tímidamente, continúa explicando un ejercicio para nadie. La chica se arranca, a pequeños mordiscos, la piel que rodea sus uñas, mientras sus pies no dejan de tiritar contra el suelo. Cuenta los minutos que quedan para que suene el timbre.

Piensa en el pequeño paquete que ha escondido en su mochila. Un paquete que le ha dado una compañera suya, Kiri, con más libertad que ella para comprar cosas por internet sin que se enteren sus padres. Ni siquiera lo ha abierto, pero sabe muy bien lo que hay dentro.

Juega en su boca con el último trozo de piel que se acaba de arrancar, y con la lengua se lo va pasando de diente a diente, lo deja pegado en el paladar, lo vuelve a recoger con la lengua...

Mira el reloj de nuevo: quedan tres minutos. En ese momento, una chica sentada en la última fila, con el pelo totalmente violeta, se levanta y sale de clase en silencio, casi con pasos invisibles. Nadie se extraña, porque lo hace todos los días, tiene el *privilegio* de escapar un poco antes de que se acaben las clases. Siempre.

Betty continúa jugando en su boca con la piel que rodea las uñas de sus dedos, dejando pasar los minutos. Tres, dos, uno. Y por fin suena el timbre.

La profesora ni siquiera se esfuerza en acabar lo que estaba explicando, hace tiempo que ha perdido la esperanza. En lugar de eso, les dice un *hasta mañana* que nadie escucha, se sienta en la silla, abre el bolso y saca su móvil.

Se esconde en él, esperando que así nadie se dé cuenta de que sigue allí, que nadie le recuerde lo que todo el instituto sabe: que las redes sociales han estropeado su vida. Ahora solo espera que el tiempo pase y la gente se olvide de lo ocurrido.

Pero de momento es imposible. Uno de los alumnos, al pasar por su lado, le dice una frase que la derrumba por dentro: *¡Hasta mañana, profebotella!*

Profebotella. La mujer ni siquiera levanta la vista, una lágrima le cae por el rostro mientras todos los demás alumnos, casi al mismo tiempo, corren hacia los pasillos para abrir las taquillas y coger con ansiedad los móviles que han estado secuestrados en su interior.

Justo en un último mordisco, Betty acaba de arrancarse un trozo de piel demasiado grande y el dedo comienza a sangrar. Lo chupa con fuerza intentando detener la herida. *Con la prisa que tengo hoy*, se queja.

Con el dedo todavía en la boca, se levanta, coge la mochila, y mira a la profesora: está llorando. No se atreve a decirle nada. Sale de la clase y camina acelerada hacia su taquilla.

Al abrirla se da cuenta de que le tiemblan las manos.

Coge el móvil, pero no quiere mirarlo, aún no. Lo guarda en el bolsillo trasero de su pantalón, nerviosa, como quien esconde una bomba.

Cierra la taquilla y sale corriendo hacia la calle.

Se da cuenta de que no se ha despedido de Kiri.

Luego le envío un mensaje, piensa.

* * *

La chica del pelo violeta

Unos minutos antes de que sonara el timbre, a una chica con el pelo totalmente violeta le han permitido, como cada día, salir antes de clase. Tiene, entre otros, ese privilegio.

Ha ido a su taquilla y, tras coger su móvil y ponerse unos auriculares gigantes, ha comenzado a caminar por el pasillo aún vacío sin dejar de mirar al suelo. Ha bajado las escaleras en silencio y se ha dirigido, arrastrando los pies, hasta una de las salidas traseras del edificio.

Allí, el conserje le ha abierto la pequeña puerta que da acceso a la calle.

Ni siquiera se han saludado.

Nada más salir, la chica ha comenzado a temblar. Siempre le ocurre lo mismo cuando está en espacios abiertos, es algo que de momento aún no consigue controlar…, a pesar de todos los médicos, a pesar de las pastillas, a pesar de las terapias, a pesar del tiempo…

Su cuerpo tirita como si estuviera siendo rodeada por lobos, como si esperara recibir daño en cualquier momento. El miedo la quema por dentro y los ojos se le llenan de tantas lágrimas que no le dejan ver nada. Los cierra con toda la fuerza que puede, para así poder exprimir de alguna forma la tristeza que lleva dentro.

Sus músculos están tan rígidos que, por un instante, siente que no va a poder dar un paso más, que en el siguiente movimiento se va a caer allí mismo.

Es justo en ese momento cuando alguien la abraza y se la lleva hacia un coche.

* * *

Unos minutos antes de que sonara el timbre, en esa misma clase, un chico sentado en la última fila ha estado observando cómo Betty no dejaba de morderse las uñas y golpear el suelo con los pies.

Siente algo especial por ella, sobre todo desde que, hace dos años, lo dejaran. Bueno, en realidad desde que ella lo dejó a él, justo después del accidente… *Accidente…* así es como llamaron todos a lo que ocurrió en las vías del tren con aquel chico. Así lo llamó la directora, la mayoría de los profesores, la mayoría de los padres, alguno de los alumnos… *accidente.* Pero él mejor que nadie sabe que no, que aquello no fue un accidente, que aquello fue culpa suya.

Ahora le gustaría demostrarle que ha cambiado, que han pasado ya dos años desde aquello, que ya no es el mismo. Pero no sabe cómo arreglar una relación que viajó tanto entre el amor y el odio que al final se quedó en indiferencia. Es ahora que no está con ella cuando la echa de menos, y sabe que hasta eso lo ha hecho tarde y mal.

Ha estado todo el día —a decir verdad, todo el curso—, observándola. Y hoy se ha dado cuenta de que algo extraño le pasa: ha venido muy nerviosa a clase y se ha puesto a temblar cuando Kiri le ha dado un paquete casi a escondidas en el recreo.

Él ya sabe que hay alguien al otro lado del móvil. Sabe quién es y sabe también que no tiene nada que hacer, que no puede competir.

Se mira las manos como siempre hace cuando está nervioso: se observa cada uno de los dedos, se los cuenta… uno, dos, tres, cuatro… hasta que llega a ese al que le falta un trozo. Siempre le ha creado un cierto complejo tener solo nueve dedos y medio. Aprieta el puño para esconderlo.

El chico, mientras observa desde lejos cómo Betty desaparece por la puerta exterior, se cruza con una chica con tantas pecas en la cara como pulseras lleva en el brazo.

—¿Sabes a dónde va Betty con tanta prisa? —le pregunta aún con el puño cerrado.

—Supongo que a su casa… como siempre a estas horas, ¿no? —responde con una sonrisa forzada.

Y es que ellos dos, Kiri y MM, no son exactamente amigos. Es cierto que después de dos años se toleran, se saludan cuando se ven por el pasillo y se hablan si no hay más remedio…, pero no, no son amigos.

—Ya… —contesta casi en silencio, como con vergüenza por haber hecho una pregunta tan estúpida—. Pero hoy estaba un poco rara, ¿no? ¿Qué hay en esa caja que le has dado?

—Cosas de chicas… —dice ella sin mirarlo, sin dejar de teclear en el móvil.

* * *

Una niña con el pelo totalmente violeta y unos cascos demasiado grandes va sentada en el asiento trasero de un coche; sigue temblando.

No dirá nada durante todo el trayecto, durante los quince minutos que durará el viaje. *Podría ir andando, podría hacerlo...*, se dice a sí misma. Y en el momento en que ese pensamiento le llega a su mente, comienza a temblarle todo el cuerpo, el corazón se le acelera tanto que nota los latidos hasta en los dedos, se da cuenta de que le falta el aire... *Tranquila, tranquila, estás en el coche, estás segura...* se dice a sí misma mientras sube el volumen de los auriculares para aislarse del mundo, mientras comienza a respirar de forma pausada, suave, contando del cinco al uno, como tantas veces le han dicho.

Mira por la ventanilla y observa a todas las personas que pasean libremente por la calle: un padre va mirando el móvil mientras coge de la mano a su hija pequeña, tres amigas van riendo mientras se empujan entre ellas, una madre va caminando con un carrito en el que un bebé va mirando una pequeña tablet que lleva enganchada en un lateral, un chico un poco más mayor está hablando con los auriculares puestos, un hombre trajeado discute enfadado por el móvil, una pareja está sentada en un banco, cada uno de ellos está como hipnotizado mirando su propio teléfono...

A ella le gustaría estar ahí fuera, poder ir por la calle siendo una persona anónima, sin que nadie le dijera nada, sin que nadie se le acercase, sin que nadie la tocase...

Es justo al llegar a ese pensamiento cuando se pone a llorar. No son grandes lágrimas, porque ya no le quedan, solo son pequeñas goteras de tristeza...

Se pellizca el muslo por encima del pantalón con fuerza para hacerse daño y trasladar su dolor emocional al físico. A veces lo hace con tanta intensidad que se provoca pequeñas heridas. Afortunadamente esas marcas nunca aparecerán en sus vídeos, no las verá nadie.

Cierra los ojos, sube el volumen de los cascos todo lo que puede y aprieta sus manos una contra la otra con demasiada fuerza, como si quisiera romperse los dedos.

* * *

Betty sigue caminando hasta que llega a una esquina desde donde ya no puede verla nadie, ningún compañero del instituto está cerca. Saca el móvil y mira la pantalla para desbloquearlo.

Pulsa un icono y abre Meeteen.

Betty comienza a revisar todos los mensajes que le han llegado, siempre tiene alguno, es lo mejor de esa red social, que siempre hay gente interactuando, pero no encuentra el que busca.

Suspira con decepción. Se guarda el móvil en el bolsillo y vuelve a pensar en el paquete que lleva en la mochila, en ese paquete que le ha dado Kiri. Una lágrima le recorre el rostro: toda la ilusión que llevaba almacenada en su cuerpo se ha derretido en un instante.

Camina hacia casa mirando al suelo mientras su mente busca alguna justificación: *igual no tiene el móvil ahora, o igual se ha olvidado de mí; igual está estudiando o igual ha conocido a otra más guapa, más alta, más delgada; quizá se ha quedado sin batería o quizá, como no tengo muchos seguidores, como no soy tan popular… Ojalá pudiera ser como Xaxa*, piensa.

Se limpia las lágrimas con la manga del jersey. Saca el móvil del bolsillo y abre Meeteen.

Vuelve a pulsar compulsivamente el icono de actualizar la bandeja de entrada mientras camina, para ver si su felicidad regresa al ver un mensaje suyo en la bandeja de entrada.

Nada.

¿Y ahora qué? ¿Ahora lo hago o no lo hago?, se pregunta.

Y es que, después de muchos días dudando, hoy había decidido hacerlo. Porque hoy va a estar sola en casa durante más de una hora.

Se acuerda ahora de sus compañeros, de los que ni siquiera se ha despedido al salir de clase.

—Hola... —le escribe a Kiri.

A los pocos segundos recibe la respuesta.

—¿Qué tal?

—No me ha escrito...

—¡Qué idiota!

—Sí... es un idiota...

—Y por qué no lo dejas estar.

—Porque me gusta mucho, y encima es quien es...

—Bueno... tranquila, que igual está liado... igual no ha podido contestar por cualquier razón...

Silencio durante unos segundos.

—¿Al final vas a hacerlo? ¿Lo tienes claro? —le vuelve a preguntar Kiri.

—No sé, es que no sé nada de él desde ayer, y ahora ya se me han ido todas las ganas.

—Pues si no estás segura no lo hagas, nadie te obliga, si no estás segura déjalo, no hagas nada.

Silencio. Betty no tiene ganas de hablar.

—Bueno, si sabes algo me dices.

—Sí, claro.

—Por cierto, la *profebotella* estaba llorando, ¿lo has visto?

—Sí, pero no la llames así…

—Ya…

—Bueno, beso.

—Beso.

Betty actualiza de nuevo la aplicación, para ver si llega algún mensaje de él.

Nada.

* * *

Un año antes

Ahora no llueve, pero lo ha estado haciendo durante todo el día, y el cielo está tan nublado que a esas horas de la tarde ya es de noche.

Una chica de trece años con el pelo totalmente violeta acaba de salir de sus clases de baile. Es su momento más feliz del día, dos horas intensas en las que por un rato se le olvida todo, se olvida de las clases, de los exámenes... de todo.

Camina por la calle con los cascos puestos escuchando a Billie Eilish, pensando en los pasos de baile que ha aprendido hoy, practicándolos en su mente.

Está a unos cinco minutos de casa, cuando, de pronto, se da cuenta de que, frente a ella, a unos metros de distancia, tres cuerpos se la quedan mirando fijamente.

Uno de esos cuerpos la señala con la mano.

Ella se detiene.

Y, sin saber muy bien por qué, comienza a tener miedo. Tiene la intuición de que algo no va bien.

Mira a ambos lados y se da cuenta de que apenas pasa gente en ese momento por la calle.

Los tres cuerpos continúan allí, parados, mirándola.

Y, de pronto, esos cuerpos comienzan a gritar y a correr hacia ella. Su mente le dice que dé media vuelta y que corra también, que se vaya de allí, pero sus piernas no reaccionan, se queda paralizada.

La música sigue sonando en sus cascos, pero ella ya no la escucha.

* * *

—¿A quién le estás escribiendo? ¿Es Betty? —le pregunta.

—Sí —contesta Kiri sin dejar de mirar el móvil.

—¿Y qué había en esa caja? —insiste él.

—Cosas de chicas, ya te lo he dicho... —le vuelve a contestar sin mirarlo.

En ese momento se acerca otro compañero de clase, un chico con una cicatriz en la ceja que le da un beso en la mejilla a Kiri.

—¿Qué pasa? —le pregunta al ver a MM allí, a su lado.

—Que este aún está por Betty —dice ella con desgana.

—Pero ella está por otro... Y ese tipo es inalcanzable —interviene.

—Un idiota es lo que es —casi grita apretando los puños.

Zaro y Kiri se quedan en silencio.

—Lo que me da rabia es que mientras está hablando con Betty, a saber con cuántas más estará. ¿Y por qué se ha fijado en ella, justamente en ella? Podría tener a cualquiera de esas *influencers*, de esas modelos... a cualquiera que tuviera muchos más seguidores, por ejemplo a Xaxa, pero se ha fijado en Betty, ¿no lo veis raro? —dice MM con una mezcla de derrota y rabia.

* * *

Un año antes

Tres cuerpos se abalanzan sobre una chica con el pelo violeta que se ha quedado paralizada en medio de la calle.

—¡Es Xaxa! ¡Es Xaxa! —gritan tres chicas que la abrazan con tanta fuerza que comienzan a hacerle daño.

Xaxa permanece inmóvil, con el cuerpo tan rígido que no puede caminar. Solo se deja hacer esperando que todo acabe cuanto antes.

Debido a los gritos, otro grupo de adolescentes que estaba por la calle se ha acercado a ellas y, al identificar a Xaxa, se han puesto a tocarla.

Ella continúa inmóvil.

De pronto una mano le ha quitado los cascos con tanta fuerza que le ha arrancado un mechón de pelo.

—¡Tengo el pelo de Xaxa! ¡Tengo el pelo violeta de Xaxa! —grita con fuerza una chica mientras lo enseña a las demás y varios móviles fotografían y graban el momento.

Esas mismas fotos y vídeos se publican al instante, sin que Xaxa haya dado ningún permiso, sin que ni siquiera ella sea consciente de lo que está pasando.

Una bandada de manos comienza a arrancarle pequeños mechones de pelo violeta a una niña que intenta mantenerse en pie.

—Por favor, por favor… —susurra Xaxa con un hilo de voz que no llega a ninguna parte, mientras llora de dolor, un dolor insoportable que le rodea la cabeza.

Otro grupo de niñas se acerca: algunas se unen al resto, intentando conseguir un trozo de Xaxa, otras continúan grabando y publicando las imágenes de lo que está ocurriendo en directo.

Finalmente, la chica del pelo violeta cae al suelo sobre la acera mojada.

Allí, comienza a sentir un dolor y un pánico tan intensos que es incapaz de gritar, incapaz de mover sus piernas, sus manos, sus pies… Es incapaz de respirar… se ahoga.

* * *

Betty continúa caminando sin dejar de mirar el móvil, ni siquiera se da cuenta de que el semáforo está en rojo. Afortunadamente, hace ya tiempo que en toda la ciudad han instalado unas luces en el suelo que se encienden y apagan a la vez que los semáforos, así no es necesario que las personas levanten la vista del móvil mientras caminan.

Tras unos minutos la luz del suelo se pone verde y Betty cruza la calle sin levantar la mirada.

Actualiza.

Nada.

Actualiza.

Nada.

Continúa caminando.

Actualiza.

Y de pronto un mensaje llega a la bandeja de entrada.

Y es de él.

Y su mundo se vuelve rosa.

Y sale el sol, y el arcoíris, en su mente.

Y sonríe.

Y llora, pero ahora de alegría.

Y lo que era uno de sus peores días se ha convertido en un día maravilloso, y lo que era tristeza absoluta ahora es alegría inmensa, y todo eso en apenas unos segundos, simplemente por un mensaje.

—¡Hola, Bitbit! —es así como él la llama a veces.

—¡Hola, Alex! —teclea Betty con la ilusión en cada célula de su cuerpo.

—¿Cómo estás? ¿Ya has salido del insti?

—Sí, ya voy para casa.

—¿Lo vas a hacer hoy? :)

Betty se detiene en la acera.

—Sí —contesta con una sonrisa tan grande que algunos dientes se le salen de la cara.

—¡Qué ganas!, envíame mensaje.

—Sííí —y Betty salta en la acera como una niña pequeña.

Comienza a correr hacia casa.

* * *

Un año antes

Una niña a la que le han arrancado varios mechones de pelo llora de puro dolor, se agarra con las manos la cabeza porque siente como si le hubieran clavado mil agujas en ella. Continúa en el suelo, rendida sobre un charco de impotencia.

Han sido dos mujeres las que, al ver lo que estaba ocurriendo, se han acercado a ella y han conseguido que toda la manada de fans saliera de allí y la dejaran en paz.

La chica abre los ojos, mira alrededor y no sabe muy bien dónde se encuentra. Busca unos auriculares que ya no están, un móvil que ha desaparecido, una mochila que no sabe quién se ha llevado… allí no hay nada.

—¿Estás bien? —le pregunta una mujer arrodillándose y poniéndose a su altura en el suelo.

—Sí… no sé… sí… —contesta aún sin saber muy bien qué ha ocurrido.

—¿Vives cerca? —le pregunta de nuevo la mujer. La chica la mira, pero no contesta.

—¿Quieres que llamemos a tus padres? —insiste.

—Sí… sí… —dice con un ligero hilo de voz.

—¿Sabes su número?

Y Xaxa se da cuenta de que no sabe el número de su madre, ni de su padre, ni de sus amigas… de nadie, todo estaba en ese móvil que no encuentra por ningún sitio.

—No, no lo sé… —dice aún confusa— pero vivo cerca, muy cerca, ya estaba llegando a casa…

—No te preocupes… vamos a llamar a la Policía y ellos te acompañarán.

Y las dos mujeres levantan a una niña que ha naufragado en la realidad. Se la llevan a un banco cercano y la sientan.

Y allí comienza a llorar.

Xaxa llora por lo que le acaba de pasar, pero, sobre todo, llora por lo que vendrá después. Sabe que lo ocurrido va a estar en todas partes, por todo internet, y no puede hacer nada por evitarlo. Nadie le ha preguntado, nadie le ha pedido permiso, y aun así esas imágenes ya estarán llegando a miles de dispositivos, donde miles de personas estarán viendo cómo la tiraban al suelo, cómo le arrancaban el pelo, cómo le robaban sus cosas… Ese es uno de los problemas de las redes, que en internet el presente se puede reproducir infinitas veces.

Aquel día cambió la vida de Xaxa, porque el miedo le inundó la mente: miedo a caminar sola por la calle, miedo a las miradas, miedo a los lugares desconocidos, miedo a las personas… Miedo a la vida real.

* * *

Betty llega flotando a casa.

—*Explorare*, ¿hay alguien? —grita con más fuerza de la necesaria mientras abre la puerta.

—*No hay nadie en casa* —contesta el asistente virtual de casa.

—¿Dónde está mamá? —pregunta.

—*Mamá se ha ido hace 32 minutos con tu hermano a natación, según el GPS de su coche está aparcado a 55 metros de la piscina municipal* —contesta.

—¿Dónde está papá? —vuelve a preguntar.

—*Por la posición del GPS de su coche, está volviendo del trabajo, tardará una hora y veintidós minutos si va por la ruta más rápida.*

Genial, piensa para ella misma. Sabe que tiene más de una hora libre, una hora de libertad para intentar hacer lo que lleva pensando durante tantos días.

—*Explorare*, programa una alarma cuando papá esté a 15 minutos de casa. *Explorare*, programa una alarma cuando mamá esté a 15 minutos de casa. Pon música, *Enemy*, de Imagine Dragons —le dice al dispositivo.

Sube corriendo las escaleras hacia su habitación, entra y cierra con el pequeño pestillo que se instaló ella misma. En realidad, no tiene mucho sentido porque no hay nadie en casa, pero quién sabe… y si *Explorare* falla… y si su madre llega antes y la descubre justo en el momento en que…

Coge nerviosa el paquete que lleva en la mochila y lo deja sobre la cama.

Lo abre y se queda mirando su contenido, es justo como lo había imaginado.

Comienza a desnudarse.

* * *

Aquella niña del pelo violeta que hace un año naufragaba en el suelo, viaja ahora en el asiento trasero de un coche que la lleva a su casa.

Desde que ocurrió aquello no es capaz de caminar sola por la calle, solo se siente segura en espacios cerrados y controlados, en lugares conocidos.

Fueron sus padres, un fotógrafo y una *influencer* de moda, los que comenzaron a utilizarla desde que era pequeña. Se dieron cuenta de que haciéndose fotos junto a ella obtenían más *likes* y sus cuentas crecían mucho más rápido. Por eso, cuando la niña, con ocho años, quiso teñirse el pelo de violeta, nadie dijo nada, todo lo contrario, lo vieron como una oportunidad para que destacara entre el resto de los *niñosescaparate* que los padres utilizan en las redes. Y así fue, Xaxa, con tan solo diez años, ya tenía más de 100.000 seguidores.

Xaxa, ahora, desde el asiento trasero de un coche, piensa que ella nunca dio permiso para que sus padres publicaran una foto de cuando nació, ni de cuando comenzó a andar, ni de cuando se hizo pis en la cama, ni de cuando la disfrazaron de flor en aquella obra de teatro tan horrible. Tampoco dio permiso para que publicaran un vídeo de aquel día que se puso a vomitar después de subir a la noria, ni de cuando la vistieron como una muñeca en una boda, ni de cuando la grababan durmiendo, ni de cuando le vino prematuramente la regla y mostraron la mancha roja en su pantalón.

Y no, ella nunca dio permiso para hacer aquel anuncio de compresas cuando apenas tenía doce años.

Ahora viaja en un coche deseando no llegar nunca a casa. Le gustaría que cada kilómetro la alejase más de ella. A veces ha pensado aprovechar un semáforo para abrir la puerta del vehículo y salir corriendo hacia cualquier sitio, y correr, y correr y llegar a un lugar donde nadie pueda reconocerla, donde nadie pueda encontrarla. Pero su miedo al mundo le impide hacerlo.

Se acurruca contra la ventana mirando al exterior, como si ese cristal fuera un escudo contra la realidad.

* * *

Betty se mira al espejo, pero no le acaba de gustar lo que ve. Se da cuenta de que a la modelo de internet le quedaba mucho mejor que a ella. *Ojalá yo no fuera como la que veo ahí*, se dice a sí misma.

Se queda mirando su propia imagen durante varios minutos, intentando ajustar su cuerpo al conjunto de ropa interior.

Duda.

Busca en internet posturas para que no se le note tanto su pequeña barriga, busca trucos para que sus pechos parezcan más grandes y sus piernas más delgadas. Tras varios minutos, encuentra una postura casi imposible con la que ocultar todo lo que no le gusta de su cuerpo.

Ahora solo le falta encontrar la luz adecuada para que las sombras tapen lo que no quiere que se vea, e iluminen lo que quiere destacar.

Después de casi treinta minutos parece que ya lo tiene todo preparado.

Coge el móvil, lo coloca en el soporte y se hace la foto.

La mira y la borra.

Vuelve a hacerse otra.

La mira y la borra.

Vuelve a intentarlo.

La borra.

Después de diecisiete fotos por fin hay una que no le disgusta demasiado. La abre con un programa de retoque para darle más suavidad a su piel, modificar la forma de su pecho, resaltar los colores tenues de la habitación, añadir un poco más de volumen a sus labios, dibujar alguna peca en su rostro, modificar el contraste, el brillo, la saturación…

Ya la tengo, se dice.

Aunque casi no me reconozco. Esa no soy yo, se dice también.

* * *

Xaxa llega a su casa.

Sale del coche sin decir nada. Sumergida en la música que nace de sus auriculares abre la puerta.

—¡Hola, Xaxa! ¿Qué tal el instituto hoy? —le pregunta su madre mientras le da un abrazo que ella nunca devuelve.

—Bien… —responde.

Xaxa sube lentamente las escaleras, entra en su habitación, tira la mochila al suelo y se tumba en la cama. Le gustaría quedarse ahí para siempre, escuchando música, sin saber nada de nadie, sin tener que hablar para nadie.

Se sienta en la cama, se quita la camiseta, los zapatos y los pantalones, y es ahí cuando se queda observando sus piernas llenas de marcas, repletas de su propio daño.

Se aprieta con las manos las heridas, fuerte, con rabia, porque sabe que ese dolor le hace olvidar el otro, el que está siempre en su mente, el de quien tiene que hacer cosas que no quiere. Tanto se aprieta que, de pronto, se le rompe ligeramente una uña.

Se pone los cascos y aumenta el volumen de la música.

Y lo pone tan alto que nota el eco del sonido en el interior de su mente.

Y aun así vuelve a subir el volumen un poco más, hasta que le comienza a doler la cabeza.

Y un poco más…

Hasta que siente que le van a explotar los oídos.

Finalmente se quita los cascos con rabia y los tira al suelo.

Se rompen en dos trozos.

No pasa nada, sabe que mañana le regalarán otros.

* * *

Betty se mantiene durante muchos minutos con el móvil en la mano decidiendo si enviar la foto o no, si dejar que su cuerpo viaje por la red.

Él está activo, en realidad, casi siempre lo está.

—Hola, Bitbit —le aparece en la pantalla.

Y el corazón de Betty comienza a latir tan deprisa que nota el pulso hasta en las uñas.

—Hola —le contesta ella temblando.

Pasan unos segundos en los que no hay respuesta, unos segundos que a ella le parecen una eternidad. *¿Y si está hablando a la vez con otra? ¿Y si está pensando que yo no valgo la pena? ¿Y si ese hola mío ha sido demasiado soso? ¿Y si se aburre conmigo ¿Y sí...?*

—¿Tendré el regalo hoy? —escribe de nuevo Alex.

Y ella, nerviosa, está a punto de decirle que sí, que por fin se ha decidido, que lo hará, pero con condiciones, con muchas condiciones...

Y justo en ese momento él se desconecta.

Betty se asusta, y se pone nerviosa, muy nerviosa. Le tiembla el móvil en la mano, *¿Ha pasado algo? ¿He dicho algo que no debía? ¿He hecho algo?,* se pregunta, sin dejar de mirar fijamente a la pantalla, sin dejar de mirar lo que le ha escrito, si solo ha sido un *hola*.

Acerca sus dedos al teclado y escribe rápidamente.

—Sí, sí, sí, hoy te doy el regalo, ahora mismo te doy el regalo, justo estoy en casa, en mi habitación —le escribe casi suplicando para que se vuelva a conectar.

A los pocos segundos Alex vuelve a estar activo, y le envía un emoticono de un beso. Y esa pequeña imagen, estos minúsculos píxeles en la pantalla de un móvil consiguen que la tristeza de Betty desaparezca y vuelva a estar feliz.

—¿Estás sola en casa? —pregunta él.

—Sí, sí, no hay nadie —contesta ella.

—¿Y me la vas a dar ahora? ¿Al final te has decidido? ¿Me la vas a enviar hoy? —insiste.

—Sí, sí, sí... hoy, ahora, en un rato... —le contesta nerviosa, ilusionada pero a la vez con miedo, porque, realmente, no lo conoce en persona, solo por las fotos, solo por lo que publica en la red, por lo que dicen de él..., pero se ha enamorado tanto tanto que haría lo que fuera, lo que él le pidiera.

»Pero con condiciones —añade ella.

—Dime...

—Borra la foto enseguida, no se la enseñes a nadie, solo para que la veas tú y ya está. Y la borras, ¿ok? —le escribe una niña que a pesar de creerse mayor es aún demasiado inocente.

—Claro que sí —le contesta él añadiendo varios emoticonos con corazones.

Y ella vuela por la habitación.

Y su sonrisa llena todo a su alrededor.

Y tiembla de amor y miedo a la vez.

Y una niña, que se ha maquillado como ha podido para parecer adulta, está a punto de enviar una foto casi sin vestir, con un conjunto de ropa interior que deja casi todo su cuerpo a la vista.

La tiene ya en pantalla, la carga en la aplicación y cuenta hasta tres antes de darle al botón de enviar.

Uno

Dos…

Dos…

Tiembla de miedo, porque cuerpo y mente ahora mismo no están de acuerdo en el siguiente paso a dar.

Dos

Dos

Dos…

Tr…

Duda de nuevo.

Pero al final lo hace, la envía.

Y ya no hay marcha atrás.

Su intimidad ha dejado de ser suya, ya es de todos.

* * *

Y en el mismo instante en que Betty le da al botón de enviar, la imagen de una niña en ropa interior viaja a través de la red, de hecho, a través del mundo.

El primer lugar al que llega es a un servidor pirata que dispone de aplicaciones capaces de reconocer imágenes de cuerpos desnudos. En cuanto detecta la foto, hace miles de copias que se envían a una lista donde hay suscritos miles de adultos que pagan por ese tipo de imágenes. Cada uno de ellos la guardará en su propio ordenador o la enviará a otras personas, y así se multiplicará hasta el infinito.

La imagen continuará viajando hasta alguno de los servidores oficiales de la red social Meeteen, que también guardará copias en otros ordenadores, copias que jamás desaparecerán de internet.

Uno de esos potentes ordenadores enviará a su vez la foto al usuario @alex_reddast que, nada más recibirla, escribirá un «¡Guauuu, Bitbit!» acompañado de cinco corazones violetas seguidos.

Lo que haga después Alex con esa foto no lo podemos saber aún.

Lo que Betty tampoco sabe es que todas las copias de esa imagen permanecerán para siempre en las redes y ella nunca las podrá borrar. Que cuando, en un futuro, vaya a pedir trabajo y la inteligencia artificial de la empresa busque parecidos en internet, la encontrará. Encontrará a una Betty adolescente con una foto casi desnuda, lanzando un beso con las manos en forma de corazón.

Pero Betty ahora mismo no es consciente de todo eso, lo único que sabe es que está *superhiperenamorada* de Alex, ese chico tan famoso en las redes sociales que, inexplicablemente, se ha fijado en ella.

Solo piensa en él. Cada día, cada minuto, cada segundo. Piensa en él cuando se despierta, piensa en él durante toda la noche hasta que se duerme, piensa en él cuando va caminando por la calle, cuando está en clase… en cada momento de su vida lo único que hace es pensar en él.

Por eso la mente de Betty no ha tenido espacio para pensar en el destino de esa foto.

* * *

La tarde se va convirtiendo en noche en la ciudad.

Hay una chica que no ha vuelto a tener noticias de Alex desde que le ha enviado la foto. No deja de pensar en lo que ha hecho.

Ha cenado con su familia intentando disimular todo su miedo, pero en cuanto ha acabado se ha ido a su habitación, ha cogido su móvil y ha estado mirando su propia foto durante unos minutos. Le ha dado vergüenza verse así, casi desnuda.

Y, de pronto, se ha imaginado que, de alguna forma, la imagen ha podido llegar a alguien de su instituto. Y ahí se ha puesto a temblar, le ha pegado puñetazos al colchón mientras se preguntaba por qué lo había hecho, por qué. Se ha imaginado llegando al día siguiente a clase y viendo cómo todos hablaban de ella, cómo todos se reían a sus espaldas, cómo algunos la señalaban... Le han entrado ganas de gritar de rabia en medio de la noche.

Se ha imaginado a Alex reenviando la foto a sus amigos: *mirad, una más a mi colección de chicas desnudas.*

En un impulso la ha borrado, sabiendo que eso no sirve de nada. Y es ahora cuando empieza a hacerse las preguntas que debería haberse hecho antes de enviar la imagen.

¿Qué puede hacer Alex con esa foto? ¿Va a cumplir su promesa de borrarla? ¿Por qué he tenido que enviarla? ¿A quién le puede llegar? ¿Y si la ven mis padres, o mis amigos? ¿Y si Alex conoce a alguien de mi instituto y la foto les llega a mis compañeros?

Comienza a llorar en su habitación. Le pega golpes a la almohada, coge el conjunto de ropa interior y lo tira a la papelera. Se siente sucia, como si de alguna forma alguien hubiera tocado su cuerpo sin su permiso.

A los minutos, ya más calmada, se da cuenta de que son casi las 22:00, el momento en que Xaxa se conectará en directo. Es increíble que esa chica con tantos seguidores vaya a su mismo instituto, le gustaría tanto ser como ella, tener sus privilegios... su vida.

* * *

A unos cuantos kilómetros de la casa de Betty, una chica con el pelo violeta ya ha acabado de cenar y ha regresado de nuevo a su habitación, donde debe prepararse para actuar. Cada noche se borra la tristeza del rostro a base de maquillaje, intentando dibujar una sonrisa que hace mucho tiempo que no sale de forma natural.

Hace años, al principio, disfrutaba con todo eso, le encantaba ser el centro de atención, *¿a quién no?* Pero ahora odia ponerse delante de la cámara y mentir.

Por lo que ha visto en el sofá hoy, han llegado varios paquetes de una marca de ropa que le paga mucho dinero cada vez que aparece con una de sus prendas. Una marca que ella odia, pues según ha podido averiguar, para que miles de adolescentes puedan llevar esa ropa tan barata, hay fábricas en las que trabajan más de dieciocho horas al día otras miles de adolescentes, de lunes a domingo, sin descanso.

Y aun así, lo hace, porque su familia lo necesita.

Sabe también que mañana, cuando abran las tiendas, la prenda que ella se ponga será una de las más vendidas, y no lo entiende. Se pregunta a sí misma cómo la gente puede ser tan idiota. Ella lo último que haría sería comprarse una camiseta que llevasen otros, es de tontos.

Coge el pintalabios y escribe una palabra en el espejo: «Idiotas». *Todos los que me veis sois unos malditos idiotas*, le dice a su reflejo.

Coge un poco de agua y limpia lo que ha escrito.

—Xaxa, ¿estás preparada? Solo quedan cinco minutos —le grita su padre desde el piso de abajo, mientras acaba de montar los últimos detalles del set de grabación.

A las 22:00 h, en punto, miles de usuarios están conectados al canal que Xaxa tiene en Meeteen. Miles de personas que en ese momento no tienen nada mejor que hacer que ver cómo una chica con el pelo violeta les intenta vender a través de su imagen diferentes productos. *Idiotas, idiotas, idiotas…*, piensa Xaxa mientras se acerca a la silla desde la que va a actuar.

Y, de pronto, una chica excesivamente maquillada, con un precioso pelo violeta, sonríe a la cámara mientras su padre graba y su madre le va indicando con carteles lo que debe decir.

—¡Hola! ¡Hola! ¡Hola! ¡Xaxadictillos míos! —casi grita mientras sonríe—. ¡¡¡Hoy ha sido otro día megagenial en la vida de Xaxa!!! Hemos tenido un examen sorpresa en el insti, pero de sorpresa no tenía nada porque muchos ya lo sabíamos. Aun así lo he pasado genial con mis compañeros, hemos estado riendo toda la mañana y después, a la salida nos hemos despedido con abrazos y besos, cómo los echo de menos cada día. Ah, por cierto, haciendo el tonto con una compañera me he roto un poco esta uña, mirad.

Y Xaxa muestra la uña a la cámara.

—Pero no pasa nada porque me han regalado un reparador de uñas genial. Me encanta esta marca.

Xaxa destapa el bote y con un pequeño pincel se pasa el líquido por la uña. *Ahora todas a comprarlo, idiotas*, piensa.

—Ah, también he probado un champú —dice mientras lo enseña a la cámara— que me ha dejado el pelo precioso, mirad cómo brilla el violeta.

Venga, a comprarlo todas, vuelve a pensar.

Y después de enseñar varios productos más, su madre toca la campana.

—¿Pero qué es eso? —pregunta Xaxa haciéndose la sorprendida.

—¡Regalo! ¡Regalo! ¡Regalo! —grita su madre, que aparece ahora en el vídeo con un paquete.

—¿Regalo? —pregunta Xaxa.

—Síií, creo que es ropa de esa marca que tanto te gusta.

—¡Abrámoslo! —grita Xaxa mirando de nuevo a cámara.

En ese momento, hay miles de personas conectadas, la mayoría niñas de entre 12 y 16 años.

—¿Qué será, qué será? —apunta su madre.

—¡Mirad, mirad, mirad, mirad! ¡Qué chaqueta me acaba de llegar! ¿No es preciosa? Voy a ponérmela ahora mismo. —En ese momento Xaxa se pone una chaqueta vaquera con unos parches de la marca a la altura de los hombros.

Vuelve y enseña a la cámara la prenda.

—¡Es preciosa! —casi grita—. Mañana mismo la podéis encontrar en todas sus tiendas, solo van a hacer 10.000 unidades, así que no os despistéis…

En ese momento se gira hacia su madre, que le hace una indicación con la boca. *¡Hoy, hoy!*

—Me dice mi madre que mañana no, ¡que hoy!, ahora mismo ya la tenéis disponible también en su web. Ya mismo podéis conseguirla.

Venga, todas a comprar esta chaqueta que ni siquiera a mí me gusta, venga, como ovejas, como si ninguna de vosotras tuviera gusto propio. ¿Hay algo más cutre que comprar la misma ropa que lleva una influencer*? ¿La misma que van a llevar cientos de personas, como ovejas en un rebaño?*, se pregunta Xaxa mientras es ella misma la que la promociona en sus redes.

* * *

Justo en el momento en que Xaxa se ha puesto esa chaqueta, a unos tres kilómetros de distancia, un chico con nueve dedos y medio está revisando el perfil de @alex_reddast intentando ver cómo llegar hasta él, intentando averiguar si tienen algún conocido en común, si hay alguna chica especial que le dé más me gusta de lo normal, si está engañando a Betty con otras...

MM asume que no tiene los conocimientos suficientes para poder averiguar todo eso, pero sí conoce a alguien que podría ayudarlo. Alguien que hace dos años tuvo un *accidente* por su culpa, un chico al que estuvo acosando... uno de los chicos más listos del instituto, pero al que casi le destroza la vida.

A dos calles de distancia, en una pequeña habitación, una chica de su misma edad hace meses que se siente sola, triste, aislada... Se pasa horas conectada a Meeteen porque ahí sí que hay personas que le hacen caso, que le dan *likes* a sus fotos, que le ponen comentarios, que le envían mensajes. Se ha dado cuenta de que es mucho más feliz hablando con desconocidos en el mundo digital que intentando que alguien le haga caso en el mundo real.

A unas diez calles de distancia, un chico con una cicatriz en la frente ha cerrado la puerta de su habitación por dentro, se ha tumbado en la cama y ha comenzado a ver vídeos sexuales en el móvil. Cada noche está deseando acabar de cenar para poder subir a su habitación y ver ese tipo de imágenes. Es cierto que, con el paso del tiempo, su mente necesita cosas más fuertes porque los vídeos que le excitaban al principio cada vez le son más indiferentes.

Ahora mismo está viendo un vídeo donde tres hombres están con una mujer que parece disfrutar con todo lo que le hacen. Piensa si eso le gustará a alguna de las chicas de su clase. *Seguramente sí*, asume.

Al finalizar ese vídeo, en la pantalla le aparece un link que le lleva a otro similar, y a otro, y a otro... El único filtro es una pregunta que de vez en cuando aparece: *¿Eres mayor de 18 años?*, y él, Zaro, un chico de catorce simplemente pulsa el botón de *Sí*. Ya está.

Y así, Zaro continuará viendo esos vídeos durante horas hasta que sus ojos se cierren. Esas imágenes serán las últimas que habrá en su mente antes de dormirse.

En un edificio situado enfrente, en un tercer piso, una compañera de clase, extremadamente delgada, se pasará la noche visitando páginas donde chicas como ella comparten trucos para ocultar la enfermedad a familiares y amigos, donde se dan ánimos para seguir perdiendo peso, donde hacen carreras de kilos, donde leerá frases del tipo «no estamos enfermas, queremos ser así», donde se pondrá en contacto con otras princesas o muñecas de porcelana para seguir haciendo desaparecer su cuerpo.

A tres manzanas de allí, en el salón de un pequeño piso, dos padres escuchan en las noticias que quieren eliminar las referencias a la violencia o a cualquier cosa políticamente incorrecta en la actualidad de los libros de Roald Dahl. Mientras tanto su hijo de once años está en la habitación jugando con un videojuego donde se ha metido en el papel de un delincuente que en apenas unos minutos ha decapitado a dos policías, ha robado un coche clavándole un hacha a su conductor, ha atropellado a un anciano y ha violado a una chica que paseaba por la calle. A veces, ese chico fantasea con poder hacer algo de eso en la vida real.

En la otra punta de la ciudad, en una pequeña casa, una profesora está cenando en silencio junto a su pareja, pero aun así no puede dejar de mirar el móvil mientras come. Lo mira con miedo, y le tiemblan los dedos cada vez que abre una aplicación, un correo, o su perfil en alguna red social… porque sabe que, entre todo ese mundo digital, se puede encontrar con algún mensaje que contenga la palabra *profebotella.*

Justo en el momento en que esa profesora, al entrar en una aplicación de mensajes, encuentra un dibujo con su nombre y una botella cayéndole en la cabeza, 2.345 seguidoras de Xaxa están accediendo a una tienda de ropa para comprar la misma chaqueta que la chica anunciaba en las redes.

Todo un éxito.

* * *

—¡Hemos tenido más de 50.000 visualizaciones! —dice el padre de Xaxa eufórico en cuanto desconecta la cámara.

—Una foto más, Xaxa —añade su madre—. Espera, que voy a por los gemelos.

Y mientras Xaxa se sienta en el sofá, la madre va a la habitación a por los pequeños que ya estaban casi durmiendo.

Y allí, en aquel sofá que fue un regalo de una conocida marca de muebles, los gemelos, la madre y una Xaxa que está deseando llorar, posan para una foto que ahora mismo publicará en las redes sociales.

—¡Ya está! ¡Hecha! —dice el padre, quien también utilizará esa imagen para publicarla en su perfil de fotografía.

Xaxa sube corriendo a su habitación. Entra, cierra la puerta y se pone a llorar sobre la cama.

Levanta la cabeza, alarga la mano y coge un boli que clava con fuerza sobre su pierna hasta que le sale sangre. Sabe que a veces el dolor físico le quita el otro, el que le nace en el interior de sus pensamientos.

Justo en el mismo instante que un fino hilo de sangre sale por la pierna de Xaxa, su madre publica un texto: «Otra noche feliz después del directo de mi niña. Es encantador tener una familia así, no podemos ser más felices».

Pasados unos minutos, Xaxa, como cada noche, se promete a sí misma no leer los mensajes que le envían comentando su vídeo. Pero, como cada noche, no puede evitar hacerlo. Y aunque la mayoría son de seguidoras que le envían corazones y mensajes de apoyo, ella se fija más en los otros, en los mensajes de los *haters*: *Vaya mierda de vida llevas, das mucha pena, das mucho asco. Hace años tenía gracia, cuando eras pequeña, pero ahora eres ridícula, pareces una idiota, ¿no sabes hacer otra cosa en la vida? Mira que vender esa ropa que seguro que ni te gusta. Estás cada día más gorda, no sé cómo lo haces. Ese pelo te queda horrible, eres fea, feísima. Déjalo ya, deja de hacer vídeos, eres ridícula. Te mereces que te vuelvan a arrancar el pelo cuando vayas por la calle, muérete…*

Xaxa tiembla cada vez que lee un nuevo mensaje pero por alguna extraña razón no puede dejar de hacerlo.

Los lee y llora.

Y los vuelve a leer.

Y vuelve a llorar.

Y cuando las lágrimas la desbordan cierra los ojos con fuerza, cierra los puños y se acurruca sobre sí misma en la cama.

Y así es como pasa las noches Xaxa.

* * *

Justo en el instante en que una chica con el pelo violeta se duerme llorando, a tres calles de distancia, en una habitación de un tercer piso, un chico de catorce años también llora, ya no puede aguantar más, ya está harto. Ve escrita por todas partes la palabra *Mocos*, la ve escrita en las paredes del instituto, en la pizarra, en sus apuntes, en su taquilla, en su mente, en sus sueños… Así es como le llama todo el mundo desde hace un tiempo: «*el Mocos*».

Y cada día es peor, cada vez va a más, por eso ya no tiene ganas de ir a clase, no tiene ganas de levantarse, ya no tiene ni ilusión por vivir. Sabe que cada día, sin excepción, habrá alguien que se dirigirá a él con ese nombre. Todo por un vídeo, por un miserable instante en su vida. Cómo desearía poder dar marcha atrás y borrar ese momento. Abre el móvil y lee el primer mensaje que le llega: *¿Cómo van tus mocos hoy?*

Llora.

A unas diez calles de distancia, una chica, con tantas pulseras como pecas tiene su rostro, ha dejado el móvil en modo avión y se ha puesto a leer un libro. Diferente a todo lo que ha leído hasta ese momento, va sobre una chica que vive en un hospital, con varias enfermedades raras, y que tiene un sombrero muy extraño. Kiri hace tiempo que decidió pasar del móvil, alejarse de las redes sociales y disfrutar de la lectura, que es lo que realmente le gusta.

Sabe que es rara, de hecho es así como la llaman de vez en cuando en clase. *Rara, ¿cómo es posible que no tengas redes sociales? Rara, ¿y qué haces en tu vida? ¿Cómo puedes vivir sin redes?*, le preguntan demasiadas veces. Pero a ella le da igual.

En una casa en las afueras de la ciudad, un hombre de unos cincuenta años ha conseguido engañar a Meeteen y ha creado un perfil falso con la foto de un adolescente rubio, con unos preciosos ojos azules y que siempre lleva una gorra roja… una foto que ha sacado de un banco de imágenes de internet. Cada día recibe cientos de peticiones de amistad, hay cientos de adolescentes que quieren ligar con él. Después de estar varios días hablando con una chica de unos catorce años, ahora mismo está intentando convencerla para quedar en el parque que hay justo detrás del estadio de fútbol de su ciudad.

Justo en el extremo opuesto de esa misma calle una pareja está acostada en la misma cama, pero a mil pensamientos de distancia. Como cada noche, ni siquiera se tocan, casi no se hablan. Las únicas frases que intercambian últimamente son: *buenas noches* y *buenos días.* Cada uno de ellos mira el móvil durante muchos minutos, a veces durante horas, hasta que, por separado, se van durmiendo. Hace tiempo que para ellos la relación dejó de ser divertida. Han encontrado en el móvil lo que no encuentran en la persona de al lado.

A dos calles de distancia, en la misma urbanización, una chica está practicando en su habitación el baile que va a hacer para un concurso que hay en internet. Lleva días fijándose en los otros vídeos, los de la competencia, y se ha dado cuenta de que tiene que cambiar de *outfit* si quiere tener alguna oportunidad: debería ponerse una falda mucho más corta, una camiseta con tirantes mucho más ajustada y, por supuesto, sin sujetador, así tendrá muchas más visualizaciones.

A tres calles de allí, una mujer que ha invertido todos los ahorros de su vida en una pequeña pastelería, que se levanta a las seis de la mañana para trabajar y llega a casa a las ocho de la noche, llora ahora porque ha recibido varias reseñas negativas falsas sobre sus tartas. Llora porque sabe que esas reseñas son el resultado de chantajes que no quiso aceptar. Una de ellas, la más devastadora de todas, es la de una *influencer* con miles de seguidores que se acercó por su establecimiento y le dijo que si les invitaba a desayunar a ella y a dos amigas le pondría una opinión positiva. La dueña se negó. La *influencer* se fue de allí amenazándola con ponerle una reseña horrible. Y lo ha hecho.

En un edificio en el centro de la ciudad, un chico de catorce años se mira la pierna que no tiene. Observa todas las cicatrices que le han quedado. Intenta asumir que su vida ya nunca será igual.

Hay días en los que le gustaría poder volver atrás en el tiempo para evitar ese momento, ese día, ese preciso minuto en el que un móvil se le llevó la pierna.

Una *influencer* de unos veinte años está deprimida porque sus últimas publicaciones no están teniendo tantos *likes* como las de hace unas semanas. Desesperada, ya no sabe qué hacer para que sus seguidores interactúen más con su cuenta, con ella. Se pasa las horas, y los días, intentando captar la atención de nuevos usuarios, sabe que si pierde eso, en realidad, lo ha perdido todo, pues no sabe hacer otra cosa: solo posar con modelos de ropa en las redes. Lo único que se le ocurre para tener más visualizaciones es lo que siempre funciona: publicar una foto en biquini, aunque sea invierno.

* * *

En mi habitación

—¿Esa fue la primera foto? —me ha preguntado la mujer policía.

—Sí… la primera —he contestado.

—Pero hubo más, ¿verdad? —ha insistido.

—Sí, hubo más… —les he dicho muriéndome de vergüenza, porque he pensado que si me han enseñado la primera foto, seguramente podían tener también las siguientes, en las que aparezco más desnuda, mucho más desnuda. Y si las tienen ellas, también las pueden tener más personas.

—Betty, ¿sabes lo que hacía Alex con las fotos? —me ha vuelto a preguntar.

—Bueno… Supongo que las miraba y después las borraba.

—No, Betty, no las borraba. Esa es una de las razones por las que queríamos encontrarle.

Silencio.

—Y… ¿qué… qué hacía con ellas? —he preguntado con tanto miedo que las palabras tropezaban con los dientes.

—Las vendía —me ha contestado. Y ahí mi cuerpo se ha paralizado.

—Betty, Alex vendía esas fotos a personas que pagan mucho dinero por imágenes de adolescentes desnudas, personas que además las revenden a otros, y a otros. A veces ese tipo de fotos se usan como reclamo en webs de sexo, ahora mismo tu foto podría estar en cualquier página de sexo en internet. Tu cara con un cuerpo desnudo de otra persona, con los programas de retoque digital nadie sabría diferenciar si la foto es real o no.

En ese momento creo que se me ha ido la sangre del cuerpo, porque he comenzado a marearme. Mi mente ha comenzado a imaginar a miles de hombres mirando mis fotos y…

Han pasado varios minutos en los que nadie decía nada.

—Sé que ahora mismo odias a Alex —ha vuelto a hablar la mujer policía—, pero en su defensa puedo decirte que no era consciente del daño que te estaba haciendo. Solo lo hacía por dinero.

Pero esa explicación no me servía, no me servía porque no entendía nada. ¿Por qué me había hecho algo así, si teníamos una relación tan bonita? He sentido la traición en el interior del cuerpo, como un cuchillo que te atraviesa de lado a lado.

Y allí me he derrumbado.

Llevaba ya minutos aguantando el miedo, el odio, el amor… aguantando todo, pero lo de las fotos me ha superado.

Y he comenzado a llorar como hacía tiempo que no lloraba.

No podía parar, no podía respirar y, a la vez, tenía ganas de gritar, de gritar como nunca lo había hecho.

La mujer policía se ha acercado despacio y me ha abrazado.

Y yo me he dejado abrazar.

Hemos estado así durante unos minutos, hasta que lentamente nos hemos separado. Me ha mirado a los ojos.

—Pero… pero él y yo estábamos enamorados, no lo entiendo —he dicho.

Y es en ese momento cuando la mujer de Meeteen, que apenas hablaba, ha intervenido, como si yo hubiese dicho algo excepcional.

—Betty, tú estás enamorada de Alex, pero ¿y él?

Me he quedado pensando, podría decir que sí, que durante todas nuestras conversaciones he pensado que sí, incluso él mismo me lo había dicho… Bueno, siempre me decía que creía que me quería.

—Sí, creo que sí, hizo cosas que me hicieron pensar que estaba enamorado de mí.

—¿Qué cosas? —me ha insistido de nuevo la mujer mientras miraba con cierto respeto a la policía.

Y ahí he comenzado a contarles lo del corazón dorado, fue justo al día siguiente de enviarle la foto.

* * *

Al día siguiente de enviar la primera foto

Aquel día cuando iba hacia el instituto solo pensaba en la foto. ¿Por qué no me había contestado?

Quizá no le había gustado, quizá mis piernas se veían demasiado gordas, mi cara era muy simple o mi pecho..., no tengo mucho... quizá debería haberlo exagerado más, como en las fotos de las *influencers*. Ni siquiera me había peinado, y tengo un pelo tan normal, tan soso...

¿Y si solo la quería para presumir ante otras personas? ¿Y si solo había sido una más en su colección?

Me imaginé a Alex reenviando la foto a sus amigos y riéndose de mí con ellos. Y ese pensamiento me llevó a otro mucho más doloroso. ¿Y si por casualidad alguno de sus amigos conocía a alguien de mi instituto?

De pronto me detuve. Dejé de caminar.

¿Y si había pasado eso? Me quería morir.

¿Cómo podía estar segura de que había cumplido su promesa de no enviársela a nadie?

Estaba a pocos metros del instituto, pero no me atrevía a seguir caminando. Por un momento pensé en volver corriendo a casa.

Me quedé en una esquina, mirando cómo entraban todos los alumnos en el instituto. Vi a varios grupos de amigos hablando y riendo, y mirando sus móviles… y mi mente imaginó que allí, en sus pantallas, había una chica en ropa interior: yo.

Esperé hasta que ya casi no quedaba nadie en la calle.

En ese momento vi como un taxi aparcaba justo en la puerta.

Yo ya sabía quién iba en él: Xaxa.

Ella siempre llegaba unos minutos tarde, justo cuando todos los alumnos habían entrado.

La miré con envidia porque me gustaría tanto ser como ella. Tener sus seguidores, tener su vida, ser tan popular y, sobre todo, tener su cuerpo, un cuerpo al que todo le sienta bien. Cada día con ropa nueva, con regalos, cada foto suya con miles y miles de *likes*.

Antes de entrar miré el móvil por última vez con la pequeña esperanza de que Alex hubiera escrito algo, un *me gusta, un qué bonita foto…* me hubiese conformado con un emoticono, pero no había nada, absolutamente nada.

Entré la última al instituto, dejé rápidamente las cosas en la taquilla y fui corriendo a clase, llegaba tarde.

Al entrar todos se giraron a mirarme.

Y mi corazón comenzó a temblar.

Afortunadamente no vi risas, no observé nada extraño, ninguno me señalaba, eso significaba que mi foto no había llegado a nadie. Suspiré.

Durante el recreo, volví a mirar el móvil, pero nada, ni un mensaje, absolutamente nada.

Fue pasando el resto de la mañana y yo solo tenía ganas de llegar a casa y encerrarme en mi habitación. Y olvidarme de Alex, y olvidarme de la foto.

Lo que no sabía en ese momento es lo rápido que puede cambiar todo de repente: cómo una persona puede pasar de ser una desconocida total a ser famosa en un solo instante, con un solo mensaje. Eso es lo que me pasó a mí aquel día.

Pero claro, todo eso no lo supe hasta que volví a coger el móvil, bueno, yo no, no fui yo quien lo cogió.

* * *

Suena el timbre del inicio del recreo y un enjambre de adolescentes sale corriendo a los pasillos para recuperar los móviles de las taquillas, algunos los han escondido en la ropa y ya los llevan en la mano en cuanto salen de clase.

En los pasillos miles de manos y ojos hacen el mismo movimiento a la vez, como un ejército de zombis. Muchos de los alumnos chocan con los docentes que también van hipnotizados mirando sus propios móviles.

Uno de ellos es una mujer que camina lo más rápido que puede para refugiarse en la sala de profesores. Hoy no es un día tan malo, pues en toda la mañana solo ha escuchado dos veces la palabra *profebotella*. Solo dos.

Entre esa maraña de adolescentes, un chico descubre una pegatina nueva en su taquilla: es un emoticono gigante al que le sale un moco de la nariz. Lo intenta quitar con las uñas, y aunque al final lo consigue, se quedan pequeños restos de violencia pegados en la puerta. Coge sus cosas y se va a solas hacia la salida.

Otro chico va en silla de ruedas por el pasillo, después de muchos meses en hospitales, finalmente, no pudieron salvarle la pierna. Sabe que su vida no volverá a ser igual. Y todo por un móvil.

Betty se sitúa delante de la taquilla pero no es capaz de abrirla.

—¿Qué haces? —la sorprende Kiri abrazándola por detrás.

—¿Qué? —le contesta confusa.

—¿Por qué no abres? ¿Qué pasa? —le dice al oído mientras aprieta su cuerpo contra el suyo.

—No quiero ni cogerlo.

—¿El móvil?

—Sí, no quiero cogerlo. No quiero ver que no me ha contestado. No quiero saber nada de él.

—Vamos, eso no sirve para nada, qué más da, no le des tanta importancia —le insiste Kiri.

—Es que no quiero volver a llevarme una decepción.

—Bueno, pues lo cojo yo —dice Kiri acercándose a la taquilla y metiendo la mano dentro.

Ella se sabe la clave del teléfono de Betty, al igual que Betty sabe la suya.

Kiri saca el móvil de la taquilla y es justo en ese momento cuando pasa delante de ella un chico…

Y los dos cuerpos se miran.

Y durante un solo segundo sus pupilas coinciden en el espacio y en el tiempo.

Kiri nota el nacer de dos lágrimas en sus ojos, unas lágrimas que no llegan a salir porque se quedan escondidas entre la piel y los recuerdos.

Un solo segundo que a la vez es toda una eternidad. Un segundo en el que hay un hospital.

Y una carta.

Y unos dibujos.

Y gritos.

Y miedo.
Y amor.
Y un refugio.
Y un tren.
Y un Dragón.

Todo eso hay en la mirada de dos adolescentes que desearían estar juntos pero ellos mismos se lo impiden.

Kiri cierra los ojos.

* * *

La chica de las cien pulseras

Fue hace dos años cuando un chico estuvo a punto de desaparecer en unas vías del tren.

Fue hace dos años cuando Kiri supo lo que era el dolor de verdad, ese que no te deja respirar, el que te aprieta el cuerpo como si tuvieras mil alambres alrededor.

Fue hace dos años cuando lo visitó en un hospital y disfrazó con gritos e insultos todo el amor que le tenía.

Fue hace dos años cuando salió de allí llorando, asumiendo que lo que había entre ellos se había roto.

Después de casi dos meses aquel chico, por fin, salió del hospital. Pero ya no volvieron a verse hasta después del verano.

Fue al regresar al instituto cuando coincidieron de nuevo, pero ellos ya no eran los mismos.

Un *Cómo estás* tan frío como una despedida fue la primera frase que ella dijo.

Yo bien, ¿y tú?

Yo también bien.

Me alegro.

Yo también me alegro.

Gracias por preguntar.

Nos vemos.

Sí… nos vemos…

Hasta luego.

Hasta luego.

Esa fue toda la conversación de su reencuentro.

Durante ese año volvieron a verse muchas veces por el instituto, pero nunca cruzaron más de tres o cuatro frases.

Para ella quizá fue el miedo a ser rechazada.

Quizá fue lo ocurrido en el hospital.

Quizá fue que no lo defendió suficiente.

Quizá fue que no supo estar a su lado.

Para él quizá fue el miedo a ser rechazado.

Quizá fue lo ocurrido en el hospital.

Quizá fue sentir vergüenza por todo.

Quizá fue echarla de su lado.

Y aun así, a pesar de intentar evitar sus cuerpos, nunca pudieron evitar sus miradas. Porque era ahí, en sus ojos, donde aún permanecía todo lo que vivieron juntos, todo lo que sentían el uno por el otro.

* * *

Kiri se limpia una pequeña lágrima y vuelve a poner su atención en el móvil de Betty.

Lo tiene en la mano. Lo desbloquea, abre la aplicación Meeteen y busca en los mensajes nuevos el nombre de Alex. Y se queda con los ojos fijos en la pantalla, como si hubiera visto un fantasma.

Betty la mira extrañada.

—¿Qué pasa? —le pregunta. Silencio.

Kiri no dice nada, solo observa hipnotizada la pantalla.

En ese momento llega Amanda, una amiga de ambas que también se queda mirando a Kiri.

—¿Qué pasa? —le pregunta.

Kiri le dice que se acerque y le enseña lo que hay en el teléfono. Amanda se queda con la boca abierta.

Y una Betty que lleva toda la mañana temiendo que su foto en ropa interior pueda llegar a alguien del instituto piensa en lo peor. Su mente comienza a fabricar el futuro: Alex ha publicado su foto y le ha llegado a alguien del instituto, y ese alguien la ha compartido también con otro amigo, y ese otro con otro, y con otro… y ahora mismo esa imagen está por todas partes.

Comienza a notar un calor que le quema por dentro, se quiere morir, quiere desaparecer.

Kiri alarga el brazo y le da el móvil.

Betty no quiere cogerlo.

Kiri le insiste.

Finalmente lo coge boca abajo con unas manos que le tiemblan. Tiene ganas de salir corriendo ya de allí.

—Míralo —le dice Kiri.

Y, Betty, finalmente lo hace.

Y Amanda se pone a gritar en el pasillo.

* * *

MM observa como Kiri y Betty van hacia las taquillas. Le extraña que Betty no quiera acercarse y que sea Kiri quien la abra y coja su móvil.

Se queda mirándolas desde una esquina. Hace días que lleva investigando a ese Alex para ver si puede averiguar algo sobre él, para ver si puede confirmar que está con más chicas a la vez.

Pero no ha podido conseguir nada, asume que no tiene los conocimientos suficientes, pero sí sabe quién los tiene. Por eso gira su cabeza hacia otra dirección, hacia la de un chico que va solo a su taquilla, un chico con el que ya nadie se mete, uno de los chicos más inteligentes del instituto. Todo el mundo sabe que es un genio con la informática.

Lo observa desde lejos: casi siempre va con los cascos puestos y casi nunca ríe. MM piensa que fue él quien le quitó la sonrisa.

El chico que un día fue invisible se acerca ahora hacia el lugar donde están Betty y Kiri. Y es en ese momento, al pasar delante de Kiri, cuando MM se da cuenta de todo lo que hubo entre ellos dos. Y siente envidia, porque es algo que él nunca tuvo con nadie, ni siquiera con Betty.

* * *

El chico invisible

Fue hace dos años cuando un chico estuvo a punto de desaparecer en unas vías del tren. Fue hace dos años cuando supo lo que era el dolor de verdad, ese que te hace morir cada mañana. Fue hace dos años cuando todo el mundo vio aquel vídeo con las avispas; cuando ese chico pensó que tenía el poder de correr más que nadie; cuando disfrazó su miedo creyendo que tenía superpoderes; cuando se avergonzó tanto de lo que le pasaba que se acercó a las vías de un tren para ver si, de verdad, era invisible.

Fue hace dos años cuando despertó en un hospital sin saber muy bien qué había ocurrido, y vio aquella mano que le tocaba la pierna, y aquel amigo que le traía cómics, y aquella psicóloga a la que intentó explicar todo lo que ni él mismo entendía.

Y fue hace dos años también cuando una chica con muchas pulseras le visitó en el hospital y comenzó a gritarle, a insultarle; fue en aquel momento cuando supo que lo que había entre ellos se había roto. Pero ¿qué había entre ellos? Nunca pudieron averiguarlo y todo se quedó ahí, en el aire.

Aquel día comprendió que el puzle del amor tiene demasiadas piezas y encajarlas no siempre es fácil, a veces basta con perder solo una para que sea imposible.

Y el tiempo pasó.

Y aquella chica no volvió a visitarlo al hospital.

Y llegó el verano, y él intentó olvidarse del instituto, de MM, de los monstruos, del Dragón… solo hubo alguien de quien no pudo olvidarse: de ella, de Kiri.

Durante aquel verano, casi cada noche, con el móvil en la mano, estuvo a punto de enviarle un *te echo de menos* que salió mil veces de sus labios, pero nunca de sus dedos.

Y el verano pasó.

Y llegó el momento más difícil, volver.

Y el chico invisible volvió.

Y ya nadie se metió con él.

Y volvió a ver a sus compañeros.

Y volvió a ver a la profesora que le salvó la vida.

Y volvió a ver a Kiri.

Y se hablaron como dos desconocidos.

Pero lo que no fueron capaces de decirse con las palabras sí lo hicieron con las miradas.

Miradas que les recordaban todo lo que vivieron, todo lo que ocurrió entre ellos, todos los sentimientos que dejaron sin atar, que se quedaron dormidos.

Y ahora, el chico invisible acaba de ver todo eso de nuevo en la mirada de Kiri.

Pero el momento pasa, y de pronto piensa en esa otra chica que ha conocido en Meeteen, con la que habla cada noche, con la que comparte tantas cosas, una chica muy inteligente, una chica que no conoce nada de lo que le pasó, que no sabe nada de su pasado, pero que le pregunta todo sobre su presente.

Continúa caminando hacia la salida cuando oye a Amanda gritando en el pasillo. Se acercaría a ver qué ocurre, pero ya le espera en la puerta Zaro para ir juntos a casa.

De todas formas seguro que si es algo importante se enterará por las redes, todos están conectados.

* * *

EL CORAZÓN DORADO

—¡Le han enviado un corazón dorado! —grita Amanda con tanta fuerza que su voz recorre todo el pasillo—. ¡Le han enviado un corazón dorado!

—Calla, calla —le suplica Betty con el mensaje aún en la pantalla.

—¡Un corazón dorado! ¡Un corazón dorado! —continúa gritando Amanda sin poder parar.

El resto de los alumnos comienza a acercarse a ellas por el pasillo. Todos habían oído que existía, pero ninguno de ellos lo había visto nunca en directo. Pero ahí estaba, en la pantalla del móvil de una compañera suya: un corazón dorado.

—Me caigo de culo, pero ¿cuánto cuesta eso? —grita un chico que acaba de verlo con sus propios ojos.

—¡Quinientos euros! —contesta otra chica que se acerca.

A unos metros de distancia, un adolescente aprieta sus puños con todas sus fuerzas. Sabe que nunca va a poder competir con eso. Nunca.

—¿Puedes firmarme aquí un autógrafo? —le pregunta una chica a Betty.

—Un... un autógrafo, pero... yo... por qué, no sé... —Duda mientras sostiene con todas sus fuerzas el móvil en su mano, pues todos van tocándole el brazo, moviendo su cuerpo para verlo.

—¡Venga, Betty, ahora eres famosa! La primera chica del instituto que ha recibido un corazón dorado... —le dice Amanda.

—Bueno..., pero yo... —continúa confundida.

—¡Y una foto, una foto! —le dice otra compañera de instituto.

Y, de pronto, una nube de móviles hace fotos de Betty con su corazón dorado. Fotos que, sin pedirle ningún permiso, publican en sus perfiles. Ahora mismo la imagen de Betty sosteniendo un móvil con un corazón dorado en la pantalla viaja a miles de dispositivos en todo el mundo, sin que ella pueda evitarlo. Su cuenta de Meeteen comienza a sumar seguidores, pasa de unos 300 a 4.000 en apenas unos minutos.

—¡Eres famosa! ¡Eres famosa! —le dice un chico.

—Pero... pero yo no he hecho nada —contesta ella.

—No hace falta que hagas nada, ¡eres famosa y ya está! —añade otra de las chicas que le está pidiendo una firma.

Después de muchos minutos, cientos de fotos y varios autógrafos, Betty consigue salir del instituto junto con Kiri y Amanda.

—Tendrás que enviarle algo —dice Amanda.

—No tiene por qué —le contesta Kiri.

—Pero le ha enviado un corazón dorado —insiste Amanda.

—Sí, tendré que enviarle algo, pero yo no tengo tanto dinero; bueno, casi no tengo dinero —admite Betty, que sigue sin asumir todo lo que le ha ocurrido hace unos minutos.

—Pues no le envíes nada —le responde Kiri.

—Pero es que me ha enviado un corazón dorado, ¿sabes lo que cuesta?

—Sí, y si lo ha hecho es porque puede hacerlo, porque tiene mucho dinero, pero tú no. Tú no estás obligada.

—Pero... pero sí que estoy obligada a devolverle algo. Voy a enviarle al menos una estrella.

—¿Pero el dinero que tienes no era para ropa? —pregunta Kiri.

—Sí... bueno, estaba ahorrando para comprarme aquellos pantalones que vi el otro día.

—Pues cómprate la ropa y no le envíes nada, no hace falta, si le gustas, le da igual lo demás.

—¡Pero es que le ha enviado un corazón dorado! —insiste Amanda.

—Ni se te ocurra gastarte el dinero en eso de la estrella, es una tontería —le dice de nuevo Kiri.

—Vale, vale —al final cede Betty.

—Me lo prometes.

—Vale, vale, te lo prometo.

Y las tres amigas se despiden con un abrazo.

Justo antes de llegar a casa Betty consulta el saldo que tiene, lo estaba guardando para comprarse ropa, pero bueno...

Le envía la estrella a Alex.

* * *

Oficina de Meeteen, unas semanas antes

—Bueno, y ya para ir terminando la reunión, ¿cómo está funcionando esa idea de los iconos de pago? —pregunta el director de la compañía.

—Genial. Maravillosamente bien. Es una de las mejores ideas que hemos tenido, la gente paga por algo que no vale nada, absolutamente nada. ¡Pagan por un icono! —sonríe una de las ejecutivas asistentes a la reunión—. Este mes hemos recaudado más de trescientos millones de dólares con la idea de los iconos, la mayoría con los amorosos. Todos los adolescentes que se enamoran quieren impresionar a sus parejas y se gastan el dinero enviando iconos que no nos cuestan nada. Y lo mejor de todo es que cuando uno de ellos lo envía, quien lo recibe se siente en deuda y también suele enviar otro. Es como cuando alguien te dice un *te quiero*, la respuesta suele ser la de otro *te quiero*.

»Ah, y donde también está funcionando genial es en las rupturas amorosas. Cuando hay un enfado, una separación... los usuarios los utilizan para intentar reconciliarse. Cuanto más se gastan, parece que menos cuesta el perdón.

»Ahora, para San Valentín, estamos preparando varios iconos nuevos, por ejemplo, un corazón de varios colores con el nombre de la persona a la que va dirigida. También un icono que es un regalo y al pulsar sobre él se abre un mensaje de texto. Esperamos ganar más de quinientos millones.

—Genial, absolutamente genial, estas son las ideas que más me gustan, las que no nos cuestan nada —dice el director.

* * *

Mientras una chica continúa flotando entre fotos, autógrafos, elogios y envidias, MM ha salido corriendo hacia la calle para perseguir a dos chicos.

Los observa alejándose del instituto y, a cierta distancia, comienza a caminar tras ellos. Los persigue hasta que llegan a esa esquina en la que siempre se despiden.

MM espera mientras los dos hablan y ríen durante unos minutos.

Finalmente Zaro se va en una dirección y el chico que un día fue invisible va hacia otra.

A los pocos metros, Zaro se gira y sonríe.

Sonríe porque puede ver a su amigo, porque sigue siendo visible, porque afortunadamente está allí.

* * *

El chico de la cicatriz en la ceja

Fue hace dos años cuando, después de una primera visita al hospital que no salió bien, un chico con una cicatriz en la ceja caminó de nuevo hacia esa habitación donde su amigo estaba recuperándose del accidente.

Fue hasta allí asumiendo que la primera batalla contra el perdón no había salido bien y podía encontrarse con otra derrota, pero aun así, quiso volver a intentarlo.

Fue temblando porque sabía que el pasado no le acompañaba, porque cuando su amigo más lo necesitaba, huyó, se alejó de su lado. *¿Por qué lo hizo? ¿Por qué no se quedó con él? ¿Por qué no le ayudó?*, se ha preguntado tantas veces a sí mismo.

No le ayudó porque tuvo miedo, mucho miedo. Miedo a que le hicieran lo mismo: miedo a que MM y sus amigos le pegaran a él, le insultaran a él, le tiraran cosas en la espalda a él, le pusieran en ridículo a él, le hicieran la vida imposible a él... por eso no ayudó al chico invisible.

Desde el accidente ha llorado mil veces en su habitación por todo lo que no hizo, por todo lo que no dijo. Se ha culpado, se ha odiado, se ha castigado a sí mismo.

Por eso volvió de nuevo al hospital.

Y llegó hasta la puerta de la habitación.

Estaba cerrada.

Su cuerpo le pedía que se fuera de allí.

Su mente le decía que se quedara.

Y se quedó.

Y llamó, temblando de miedo.

Y le abrió una mujer a la que él conocía muy bien.

Le dio un beso y ella salió de la habitación.

Hay batallas que se deben luchar a solas.

Y entró.

Y lo vio.

Y una pequeña sonrisa fue su recibimiento.

Y Zaro se acercó al chico.

Y durante unos segundos se miraron.

Y Zaro, con zapatos de barro, se acercó a él.

Y sin decir una palabra le cogió la mano.

Y ese día sí, al segundo asalto, se derrumbó.

Y Zaro lloró allí todo el dolor que tenía dentro, todo su arrepentimiento se derramó por la habitación, todas las disculpas salieron en forma de lágrimas.

Zaro lloró porque desde que ocurrió el accidente, cada noche se imaginó a su amigo caminando solo, bajo la lluvia, sin una mano al lado, sin nadie con quien poder hablar, buscando el final sobre las vías del tren. Lloró porque los amigos no hacen eso, no se abandonan; los amigos se ayudan, se preocupan, se acompañan…

Y en ese momento, al ver a Zaro derrumbarse de esa forma, el chico se incorporó en la cama y lo abrazó. Y también comenzó a llorar, porque cuando una amistad se rompe, lo hace en las dos direcciones; porque cuando una amistad se rompe, el dolor se derrama hacia las dos orillas.

Estuvieron allí toda la tarde, hablando de todo lo que pudieron hacer y no hicieron, de todo lo que debieron hablar y nunca hablaron, de todo lo que sintieron y no se supieron decir.

Y así, todo el pasado se lloró aquella tarde en una habitación en la que entraron dos casi desconocidos y de la que salieron de nuevo dos amigos.

* * *

Betty camina hacia su casa con el móvil en la mano sin dejar de mirar la pantalla. Justo en ese momento le llega un mensaje.

—¿Te ha gustado mi corazón? —le escribe Alex.

Y la chica se detiene en medio de la calzada, flotando en su mundo, en un mundo increíble. Un coche le pita, pero ella no se mueve. El coche vuelve a pitar y Betty pide perdón con la mano y salta de alegría hasta la acera.

—¡Claaaaaaro, muchísimo! Mil gracias, no sé qué decir, no sé… —le escribe mientras camina.

—Me alegro de que te haya gustado, gracias también por tu estrella —le contesta él.

—No puedo darte más, pero si tuviera más dinero, me lo habría gastado todo.

—Bueno, con tus fotos me basta. ¿Hacemos intercambio?

—¿Intercambio? —pregunta ella confusa.

—Esta noche yo te envío una y tú me envías otra.

—¿Otra? —Se mira su propio cuerpo y duda…

—Esta noche yo te envío una y tú otra —repite. Betty se queda en silencio, sin responder.

Alex se desconecta.

Y ella se asusta. Comienza a ponerse nerviosa, tiene miedo de perderlo.

Lo pasó mal después de enviar la primera foto, pero bueno, al final Alex cumplió su palabra y no se la enseñó a nadie. Además, si es a cambio de una suya...

Mira de nuevo el móvil y sigue sin estar conectado.

Siente que lo puede perder y está enamorada como nunca lo ha estado. Betty piensa en él a todas horas, espera con ilusión cada mensaje que le envía, cada me gusta... se acuesta pensando en él, y se levanta pensando en él. Está enamorada de un chico que tiene cientos de miles de seguidores. Además le ha enviado un corazón que vale quinientos euros, una fortuna. Y él es guapo, muy guapo, y es famoso, y la está haciendo famosa a ella.

Por todo eso sabe que al final ella hará todo lo que él le pida.

Mira de nuevo el móvil.

No está conectado.

* * *

El chico que un día fue invisible se acaba de despedir de su amigo Zaro y camina despreocupado, con los cascos puestos, pensando en un proyecto que tiene que entregar en dos semanas. De vez en cuando, y eso es una manía que tiene, se toca por encima del pelo una cicatriz que le quedó cuando aquel tren casi acaba con su vida. Una cicatriz que le recuerda los peores momentos.

Mira el móvil, casi por inercia, y ve que la chica con la que suele hablar por Meeteen le ha escrito un *¿Cómo estás?* Le contesta mientras camina sin darse cuenta de que, tras él, como recordando viejos tiempos, un chico con nueve dedos y medio le persigue desde que salieron del instituto.

Y así, ambos caminan por las mismas calles, pero con los papeles cambiados. Ahora el que está más nervioso es MM. Comienza a caminar más deprisa, con la intención de aprovechar que un semáforo se ha puesto rojo.

MM se pone justo a su lado.

Y el chico lo ve. Ve a su primer monstruo. Y ambos se quedan quietos.

Y ambos, de forma instintiva, miran lo que hay frente a ellos, al cruzar la calle.

—Hola —dice MM mientras el semáforo continúa rojo.

—Hola —le contesta el chico.

—¿Podemos hablar un momento? —le pregunta de nuevo MM nervioso.

Ambos miran hacia un parque que conocen muy bien.

El semáforo se pone en verde.

Y sin decirse nada más comienzan a cruzar la calle, uno al lado del otro, sin mirarse, asumiendo que en unos pocos centímetros caben distancias enormes.

Entran en el parque y continúan andando. Realmente, ninguno de los dos sabe a dónde van, solo caminan.

Se dan cuenta de que se acaba el parque.

MM señala un banco que hay al lado de unos columpios.

Allí, los dos se sientan, uno en cada extremo del banco.

* * *

El chico de los nueve dedos y medio

Fue hace dos años cuando un chico con nueve dedos y medio estuvo a punto de hacer un daño sin retorno.

Fue también hace dos años cuando MM caminó hacia ese mismo parque en el que ahora está para pedirle disculpas a un chico que se asustó tanto que el miedo se le derramó encima y salió corriendo.

Y él, MM, no hizo nada más, pensó que con la intención había sido suficiente, pensó que con aquel intento de pedir perdón ya estaba todo solucionado.

Pero, evidentemente, no fue así.

Y unos días después aquel chico que se había vuelto invisible, aquel chico que llevaba dolor y miedo hasta en los cimientos, llegó hasta unas vías de tren…

Y ocurrió el *accidente*.

Y lo que pasó después nadie se lo esperaba: durante los días en que aquel chico estuvo recuperándose en el hospital, el mundo que rodeaba a MM se dio la vuelta.

Lo primero fue el aislamiento: Betty lo dejó, sus amigos se alejaron de él y el resto de los alumnos lo ignoraron. Hasta los profesores evitaban dirigirse a él en clase, como si no existiera, como si no tuviera que estar allí.

Nadie quería estar cerca de MM. Todos en el instituto sabían que la culpa de lo ocurrido era suya, y todos los que no hicieron nada por evitarlo, todos los que no ayudaron al chico invisible, ahora se avergonzaban de él.

Después del aislamiento llegaron los insultos: pintadas en su taquilla, frases anónimas en la pizarra justo antes de entrar en clase, algún grafiti en la puerta del colegio, cerca de la puerta de su casa, algún escupitajo en su mochila…

Y sin embargo, lo peor estaba por llegar. *Eres un asesino, un monstruo, tendrías que haber ido tú a las vías del tren y morir, ojalá desaparezcas, eres un cobarde, vete de la ciudad para siempre, no vuelvas nunca más al instituto, no te queremos, acosador, tú deberías estar en el hospital, deberías estar muerto…* fueron algunos de los mensajes que le llegaban de forma anónima a su móvil cada día, cada noche, en cada momento del día, porque el odio no sabe de horarios. Seguramente esos mensajes los escribían muchos de los que, a pesar de ver todo lo que estuvo ocurriendo el año anterior, a pesar de ser testigos, no hicieron absolutamente nada para ayudar al chico invisible.

Y así, MM se convirtió en la persona más solitaria del instituto. No hablaba con nadie porque nadie quería hablar con él. Se sentaba en la última fila de clase en silencio, se quedaba a solas en el recreo en una esquina, ningún alumno le dirigía la palabra… Solo había una persona que, de vez en cuando, hablaba con él, que intentaba comprender todo lo que pasaba por la mente de un chico que se había equivocado tanto…, una profesora que llevaba un tatuaje en la espalda.

De vez en cuando, alguna tarde, al salir del instituto MM se iba caminando hacia el lugar exacto donde ocurrió el accidente.

Y allí, sobre las vías, se quedaba mirando el infinito hasta que, a lo lejos, veía cómo se acercaba un tren.

Se imaginaba todo lo que había pasado por la mente de aquel chico para acabar allí, delante de aquella estela de muerte.

Aquellas visitas a las vías continuó haciéndolas también durante el verano en el que se quedó sin amigos.

Y fue en una de esas tardes solitarias de agosto, cuando al llegar a ese punto exacto de la vía del tren, se encontró allí con otra persona.

* * *

Betty llega a casa con tantas dudas como cuando envió la primera foto: se acuerda de lo mal que lo pasó, de todos los temores que le llegaron después... Pero, en realidad, después no ocurrió nada. Su foto no apareció en ningún sitio, su foto no se publicó. Alex había cumplido su palabra.

El problema de cometer un error sin consecuencias es que al hacerlo de nuevo ya no lo ves como un error, pero eso Betty aún no lo sabe.

—Hola, Bitbit, ¿tendré mi foto hoy? —le escribe Alex.

—Hola... —duda—. Sí, bueno, es que no sé...

Y él se desconecta.

Y ella se pone nerviosa.

Durante tres minutos que a Betty le parecen tres vidas Alex está en silencio hasta que, de pronto, le envía una foto. Una foto que la sorprende, que la hace enrojecer. Tanto que se levanta rápidamente para cerrar el pestillo de la puerta de su habitación.

Se muere de amor, y a la vez se pregunta cuántas chicas tendrán ahora mismo una foto de Alex así, casi desnudo, tapándose lo justo con las manos y sonriendo a la cámara.

—¿Y ahora? ¿Tendré mi foto? —le pregunta él de nuevo con mil emoticonos sonrientes.

—Sí, esta noche —le contesta ella feliz.

Y después de cenar, cuando la casa ya duerme, Betty comienza a consultar en internet poses para mostrar el cuerpo desnudo, pero sin enseñar nada. Se sitúa frente al espejo y se coloca de mil formas. Cuando piensa que ya ha encontrado la posición correcta pone el móvil en el escritorio y se hace una primera foto.

No le gusta.

Vuelve a repetir todo el proceso y se hace otra foto.

No le gusta.

Y otra. No le gusta.

Y otra. No le gusta…

Finalmente, después de casi veinte intentos, se hace una que no le disgusta del todo. Aun así, comienza a retocarla con varios filtros: le quita luz, le añade un poco de contraste, difumina el borde, se pone el pelo un poco más brillante, suaviza las pequeñas arrugas de su cuerpo, agranda un poco sus ojos…

Y aunque duda, finalmente, le da a enviar.

Y así, otra foto más de una Betty desnuda le llega a un Alex. Será la segunda de muchas, de todas las que se irán intercambiando durante los días siguientes.

* * *

El chico de los nueve dedos y medio

Aquella tarde de agosto, cuando MM llegó a las vías del tren vio que había alguien allí, justo en el mismo sitio donde ocurrió el accidente. Al acercarse distinguió la figura de otro chico.

En cuanto lo reconoció estuvo a punto de salir de allí corriendo, pero en lugar de eso continuó caminando hacia él. Quizá aquella fue la primera acción verdaderamente valiente.

—Hola —dijo en voz baja.

—Hola —le dijo un chico que ni siquiera se giró.

Pasaron los minutos mientras el calor caía sobre dos cuerpos que permanecían inmóviles, mirando hacia el frente, ni siquiera sus sombras se tocaban.

—También fue culpa mía —susurró de pronto un chico que una vez fue invisible.

MM no sabía qué decir. Por primera vez en su vida estaba temblando de miedo.

—También fue culpa mía —continuó hablando lentamente, en voz baja—, yo pude habérselo contado a mis padres, a algún profesor, pude haber buscado la ayuda de mis amigos... y en cambio me lo callé todo. Podría habérselo dicho a tanta gente..., y al final solo fui capaz de decírselo a mi hermana, a una niña pequeña que sabía que nunca diría nada, porque ni siquiera ella entendía los cuentos que yo le estaba contando…

Silencio.

—Y, claro, también podría haberme enfrentado a ti…

Y justo al acabar de decir esa frase el chico invisible se gira y se pone a unos centímetros de la cara de MM, con unos ojos que le tiemblan, llenos de rabia, con el cuerpo tenso, con los puños cerrados, como si ese fuera el momento que ha estado esperando todo este tiempo para devolverle a MM todo lo que le debía.

MM traga saliva. No sabe qué decir, no sabe qué hacer porque espera que, de un momento a otro, ese chico suelte toda la rabia contra él, que le pegue con todas sus fuerzas. Y él no va a hacer nada porque la culpa lo ha dejado demasiado débil.

Por eso, antes de recibir el golpe dice una última frase.

—No, la culpa no fue tuya, la culpa fue mía.

MM mira hacia el cielo intentando aguantar unas lágrimas que se le van acumulando y no sabe cómo deshacerse de ellas. No puede frotarse con el brazo porque eso denotaría que las tiene, la única solución es continuar mirando hacia arriba para que, de alguna forma, los ojos vuelvan a absorberlas, pero eso no pasará.

Finalmente no puede evitarlo, baja la cabeza y las deja caer sobre las vías del tren.

El chico invisible se da cuenta de que llueve en un día totalmente despejado.

—Lo siento…

Y otra gota cae, al lado de la anterior y se va formando un pequeño charco de arrepentimiento.

Y ocurre algo que ninguno de los dos espera, que jamás habrían pensado, que nadie hubiera imaginado:

de pronto,
sin pedirse permiso,
sin hablar,
sin pensarlo,
los dos chicos se abrazan.

Y todo lo que hablaron aquella tarde vamos a dejarlo en su intimidad, para ellos.

* * *

En mi habitación

—Así que Alex te envió un corazón dorado… —me ha preguntado esta vez la mujer de Meeteen.

—Sí, bueno… no fue solo uno. Ese fue el primero, pero luego me regaló más, y estrellas, y otros iconos de pago. La verdad es que siempre tenía muchos detalles conmigo.

—Pero todo eso vale mucho dinero, ¿no te parece extraño que tenga tanto?

—Bueno, es *influencer* y supongo que con las marcas y eso él ganaba mucho dinero.

—Betty, eso de que ser *influencer* genera dinero es algo un poco idealizado. ¿Sabes cuánta gente vive de las redes sociales en internet? Poca, muy poca. Sí, hay unos cuantos que durante un tiempo pueden vivir de eso, pero la mayoría… la gran mayoría de *influencers* lo hacen a cambio de limosnas: se venden por una invitación a un evento, por un set de maquillaje a cambio de pintarse la cara, por una cena en una hamburguesería a cambio de hacerse una foto comiendo, o simplemente por una gorra, unas gafas o una chaqueta… así de triste es la realidad.

»Y el gran problema es que quien hoy es famoso en las redes, igual en unos meses ya ni existe, nadie le hace caso. No te imaginas la cantidad de adolescentes rotos que no son capaces de entender que un día están arriba y al día siguiente no son nadie. No te imaginas la cantidad de depresiones, ansiedad... que genera el tener que estar siempre publicando para que una marca te contrate, para que no se olviden de ti, no te imaginas lo destructivo que puede ser eso de depender de los *likes*.

»No, Betty, con eso realmente no se gana dinero, al menos no se gana tanto dinero, por eso Alex tenía otros medios para conseguirlo...

En ese momento me he puesto a pensar otra vez en las fotos, y he vuelto a odiarlo, a odiarlo con todas mis fuerzas. He sentido asco, vergüenza... he vuelto a imaginarme a desconocidos mirando mis fotos por internet, unas fotos que no puedo borrar, que estarán ahí siempre, unas fotos que yo le envié en la intimidad.

—¿Pero por qué? ¿Por qué me ha hecho Alex algo así? No lo entiendo, si me lo prometió, si me dijo que las iba a borrar, si me dijo que... —he susurrado en voz alta.

—Betty, aparte de lo de las fotos, Alex ha cometido muchos más delitos: ha entrado en webs de bancos, en sistemas de empresas multinacionales, en organismos del Estado... ha robado dinero de muchas cuentas bancarias... ha comerciado con datos protegidos... ha hecho mil cosas para ganar dinero, mucho dinero. Pensamos que ha podido robar cientos de millones.

Cientos de millones...

Me he quedado muda al conocer la cifra. Es como si estuvieran hablando de una persona desconocida para mí. *¿Alex ha hecho todo eso?*

—¿Te dijo alguna vez para qué necesitaba tanto dinero? —me ha preguntado esta vez la mujer de Meeteen.

—Sí… —he contestado mientras recordaba el día en que me habló de eso—. Me lo dijo un día en que estuvimos discutiendo.

—¿Discutiendo? —se ha sorprendido la mujer de Meeteen—. ¿Discutiendo por qué?

—Porque yo quería verlo.

* * *

Unas semanas antes

Llegó un punto en el que una Betty hiperenamorada utilizaba cualquier momento para hablar con Alex: nada más despertarse, en el desayuno mientras sus padres estaban mirando sus ordenadores; en el camino al instituto. A veces, incluso arriesgándose a que se lo quitaran, se llevaba el móvil a clase y cuando nadie se daba cuenta se lo ponía entre las piernas y así podía continuar hablando con él. Hablaba también en el camino de regreso a casa, en casa cuando estaba sola, mientras hacía los deberes, mientras hacía como que estudiaba, justo antes de cenar, después de cenar, y toda la noche hasta que se dormía...

—¿A qué instituto vas? —le preguntó un día, quizá con la intención de averiguar en qué ciudad vivía.

—No voy a ningún instituto —fue su respuesta.

—¿No? Pero entonces ¿dónde estudias? —le preguntó ella confundida.

—Bueno, yo lo estudio todo en mi habitación.

—¿Tienes algo así como un profesor particular?

—Algo así —dijo él sin más—. Mira qué frase más bonita de un libro he encontrado... —cambió de tema.

Betty no quiso preguntarle más. Supuso que al ser un *influencer* tan famoso tendría profesores particulares.

Fue a los pocos días cuando volvió a intentarlo, esta vez de una forma más directa.

—He estado pensando… que podríamos vernos algún día —le escribe con toda su ilusión.

Alex tarda en contestar. Y Betty se arrepiente al instante de haber lanzado la pregunta.

—Ya nos vemos —le contesta él en una respuesta que la descoloca.

—¿Cómo? No te entiendo.

—Ya nos vemos en las fotos. Yo te veo en tus publicaciones, en tus imágenes… y tú me puedes ver a mí en todas mis fotos. Ya nos vemos.

—Ya, pero yo me refiero a vernos en persona —contesta ella—, o al menos una videollamada, nunca haces vídeos, ¿por qué?

—Sí hago vídeos, muchos, exactamente he publicado 344 vídeos.

—Vaya, los tienes contados —contesta sorprendida—. Sí, pero son vídeos de cómo juegas a videojuegos donde apenas se te ve la cara, solo por detrás. Me refiero a vídeos normales.

—Bueno, no sé, me gustan más las fotos. No me gusta cómo salgo en los vídeos.

Betty decide volver a la pregunta inicial.

—¿Te gustaría que nos viéramos en persona? —insiste de nuevo una niña que nunca ha estado tan enamorada.

—¿En persona? —vuelve a decir él.

—Sí, claro, en persona, estaría genial. Me gustaría poder verte, igual no estamos tan lejos, ¿dónde vives? —escribe de nuevo ella con alegría y le lanza la pregunta sin pensar.

—En una habitación —le contesta él.

—No —se ríe Betty, que muchas veces no acaba de pillar su sentido del humor—. No me refiero a dónde estás ahora, sino a dónde vives.

—En una habitación —insiste Alex—. En una habitación de exactamente 23,46 metros cuadrados, siempre estoy aquí. Bueno, casi siempre.

—¿Vives siempre en una habitación? —le vuelve a preguntar ella con extrañeza.

—Sí, me dicen que es lo mejor para que no me molesten los seguidores. Por eso siempre estoy en esta habitación. Aquí aprendo todo lo que tengo que aprender, aquí estudio.

—¿Y no sales? —pregunta Betty.

—Bueno, a veces, cuando no se dan cuenta, me voy.

—¿Cuando no se dan cuenta quiénes? —insiste ella.

—Ellos...

Y en ese momento Alex se desconecta.

Betty piensa que quizá ha tocado un tema delicado del que no quiere hablar, aun así en cuanto Alex se conecta, insiste.

—¿En qué ciudad está esa habitación?

—No me dejan decirlo, lo tengo prohibido.

—¿Prohibido?

—Sí, por mi seguridad.

—Venga, Alex, ¿dónde vives? Yo no voy a poner en riesgo tu seguridad —le vuelve a insistir ella añadiendo ahora unos emoticonos de risa para suavizar una conversación que estaba siendo demasiado tensa.

—A ver... Con el tráfico que hay ahora mismo, vivo exactamente a cinco horas y diez minutos de tu casa, eso viajando en coche —le dice Alex.

Betty sonríe.

Vuelve a estar feliz porque al menos ha podido sacarle algo, y ese algo ya es mucho. Le envía varios emoticonos con sonrisas.

—Bueno, algo es algo —le escribe.

Y es justo al acabar de enviar ese mensaje cuando Betty se da cuenta de un pequeño detalle que la hace temblar, por primera vez tiene miedo al hablar con Alex.

Vuelve a coger el móvil, nerviosa, se le cae de las manos dos veces. Se pone a teclear tan rápido que no le salen las palabras.

—Alex, ¿cómo sabes dónde vivo? —le pregunta.

* * *

Ambos chicos siguen sentados frente a unos columpios, ninguno de ellos dice nada, solo observan lo que pasa a su alrededor.

El chico espera a que MM diga lo que ha venido a decir. MM no sabe cómo decirlo.

Y justo cuando parece que va a hablar, ambos ven cómo un niño pequeño, de unos cuatro o cinco años, se acaba de caer de un tobogán y su cara ha chocado con violencia contra el suelo. Después de unos segundos en shock, ha comenzado a llorar y a sangrar por la boca.

Su madre va corriendo a ver qué le ha ocurrido: no parece nada grave, solo se ha mordido el labio y se ha hecho una pequeña herida en la parte interior de la boca.

La mujer podría llevarlo en ese mismo instante a la fuente para lavarle la herida, pero antes de eso, saca el móvil, y comienza a grabar un vídeo.

Mirad, mamis, hoy mi peque ha tenido un pequeño accidente en el parque, dice mientras enfoca el móvil tan cerca del niño que casi le toca la herida, *aunque estéis todo el rato pendientes de ellos, siempre pasan cosas, mirad lo que se ha hecho en un tobogán,* y la madre continúa enfocando la boca de un niño que no entiende nada y continúa llorando de dolor.

La madre corta el vídeo, se pone de pie durante unos instantes y lo sube a la red. Una vez que confirma que se ha publicado, coge al niño y lo lleva a la fuente para lavarle la herida. Ahora ya está limpia, pero es que así, sin sangre, el vídeo no hubiera sido tan impactante.

En apenas un minuto ya tiene más de 200 comentarios: *pobrecito, vaya, qué bonito, qué bien que estés tan pendiente de él, qué madraza eres...*

—¿Cómo estás? —pregunta de pronto el chico a MM.

Y eso es algo que MM no esperaba, no esperaba que le hiciera una pregunta, y no esperaba que fuera esa pregunta.

—Bueno..., bien..., mejor, la gente ya empieza a hablarme, ya no hay tanto odio por las redes, hasta hay padres que no giran la cara al verme —responde.

—¿Para qué has venido? —le pregunta el chico en un tono neutro, sin que en la frase haya ningún reproche, simplemente con curiosidad.

—He venido para ver si puedes hacerme un favor.

—¿Un favor? —contesta el chico sorprendido y a la vez feliz.

Feliz porque no es una exigencia, porque la frase que acaba de escuchar no tiene nada que ver con aquella que acabó con un NO y lo empezó todo.

—Sí, un favor, algo que yo no soy capaz de hacer.

—Dime.

—Verás, todo el mundo en el instituto sabe que eres un genio con los ordenadores, con internet, con todo lo que tenga que ver con la informática —le explica MM.

—Bueno... yo no diría que soy un genio, sencillamente, es algo que me gusta.

—Bueno... lo que necesito... no sé muy bien cómo explicártelo. Verás, yo sigo enamorado de Betty, desde que nos conocimos, desde que salimos juntos. Sé que me porté fatal con ella, pero me sigue gustando tanto... y ahora el problema es que... —y ahí MM se detiene, como si le diera vergüenza asumir que en esta ocasión es el perdedor.

—Es que Betty está por ese Alex, ¿verdad? —le sorprende el chico diciendo algo que ya sabe todo el instituto.

—Sí. Pero hay algo que no me cuadra. No entiendo cómo un chico así, tan popular, que podría estar con cualquiera se ha fijado en ella. Además estoy seguro de que está con varias a la vez. Se lo he insinuado alguna vez a Betty pero claro, no me hace caso, si tú pudieras ayudarme.

—Pero ayudarte, ¿cómo?

—Pues no sé, viendo si ese Alex se conecta con otras chicas, entrando en su perfil, o en sus comentarios... y demostrarle así a Betty que la está engañando.

—Bueno... eso no es nada fácil, casi diría que es imposible. Es verdad que me encanta la informática y tengo bastantes conocimientos, pero entrar y reventar la seguridad de una aplicación como Meeteen es otra cosa. No puedo acceder a sus bases de datos así sin más, como en las películas, y sacar información.

MM no dice nada.

El chico se queda pensando, mirando al suelo durante unos minutos.

—Aun así lo intentaré —le contesta.

—¿De verdad? —MM levanta la cara sorprendido.

—No seré capaz de entrar en la aplicación y coger los datos, eso en una empresa así es casi imposible, pero creo que hay otra forma de hacerlo.

—Gracias.

Silencio.

MM se levanta del banco lentamente, apoya su mano sobre el hombro del chico y le habla en voz baja.

—Sabes, siempre te tuve envidia. Yo, y los demás... todos te teníamos envidia.

Y MM se aleja de allí, despacio.

El chico lo observa.

* * *

—¿Cómo sabes dónde vivo? —le pregunté asustada. Tardó casi un minuto en responder.

—Es muy fácil. Todas las fotos que me envías desde tu habitación están geolocalizadas, un usuario normal no puede saber dónde están tomadas, pero nosotros sí —me contestó.

—¿Nosotros?

—Sí, nosotros, los usuarios de Meeteen que tenemos muchos seguidores. Dicen que lo hacen para protegernos, así siempre tenemos a nuestros seguidores localizados. Siempre sé desde dónde se envía una foto, cualquiera, aunque el dispositivo diga que no las geolocaliza es mentira. Todo se localiza, todo se graba, todo se guarda. Aunque, en realidad, cualquiera con el programa adecuado puede saberlo, cualquiera puede averiguar dónde se ha tomado una foto, a qué hora, incluso con qué móvil. Toda esa información está en cada foto, solo hay que saber acceder a ella.

Una vez que se me pasó el miedo de que supiera dónde vivía, volví a pensar que no estábamos tan lejos, que podíamos quedar algún día. Solo eran cinco horas en coche y, seguramente, habría alguna otra forma de llegar de su ciudad a la mía.

—Cinco horas no son nada, podemos quedar algún día,

podríamos vernos —le dije con tanta ilusión que sonrieron hasta mis dedos al teclear con el móvil.

—Hay un tren que te traería a mi ciudad en 4 horas y 12 minutos. Después podrías coger el autobús número 8 o el 34 que te dejaría a unos 15 minutos andando del lugar donde vivo —me contestó casi automáticamente, como si ya lo tuviera todo pensado, como si él también hubiera estado planificando el vernos. Y eso me hizo feliz.

Pero solo fui feliz hasta la siguiente frase.

—Pero no podemos vernos —me contestó. Y mi sonrisa se vino abajo.

Silencio.

Los dos nos quedamos a cada extremo de la conversación sin decir nada.

Los minutos pasaron.

Fue él quien volvió a escribir.

—Pero podemos enviarnos una foto —insistió añadiendo una cara sonriente.

—¡Pero yo no quiero fotos! ¡No quiero más fotos! Tienes cientos, miles en tu red social, yo quiero estar contigo, yo quiero abrazarte, tocarte, besarte… —y en el mismo momento en que escribí eso quise borrarlo, pero ya era demasiado tarde, ya lo había leído.

No contestaba.

Pensé que igual había ido demasiado rápido, que igual me había pasado.

—Quiero estar contigo, conocerte —escribí de nuevo.

—Pero ya estamos juntos y ya nos conocemos.

—Ya…, pero no así —insistí.

—Pero es que ahora mismo ya estamos juntos —me volvió a repetir.

No entendía nada. No entendía qué estaba pasando, hasta que de pronto lo comprendí todo: había sido una estúpida.

Comencé a enfadarme, mucho. Y comencé a odiarlo con la misma fuerza con la que lo estaba queriendo.

Me sentí tan idiota…

Y concentré toda mi rabia en una frase.

—Me das asco —le dije, y tiré el móvil sobre la cama.

* * *

Cogí de nuevo el móvil, pero él ya no estaba conectado. Tuve miedo de que no volviera a escribirme nunca más, de haberlo perdido para siempre.

Le acababa de decir que me daba asco. Pero no era verdad, solo era rabia, rabia por lo que acababa de pensar, rabia por todo lo que tenía dentro de mi cabeza, por mis miedos... Rabia porque creía haber averiguado por qué no quería verme, por qué no quería quedar conmigo.

Cogí el móvil de nuevo.

—Te avergüenzas de mí, ¿verdad? ¿Es eso, te avergüenzas de mí? —le pregunté.

Y durante unos minutos que fueron eternos no obtuve respuesta, no se conectaba.

Dejé el móvil sobre la mesita, aunque lo miraba a cada segundo. Rezaba por que no me hubiera dejado, que no se hubiera ido para siempre.

Pasaron doce interminables minutos, los más largos de mi vida, durante los que solo hubo silencio, nada más. Y por fin vi un mensaje suyo.

Me temblaba todo el cuerpo, lo abrí con miedo.

—No te entiendo —me contestó.

Suspiré. No se había ido, aún estaba ahí, conmigo.

—Te da vergüenza que yo no tenga el cuerpo de esas modelos, de todas esas chicas que te siguen, que yo sea tan normal, que no sea nada..., es eso, ¿verdad? Por eso no quieres verme, porque te avergüenzas de mí.

—No te entiendo —volvió a decir.

—Por eso no podemos quedar, porque te da vergüenza que nos vean juntos.

—No, no, no. No es por ti, no es por nada tuyo, no es por tu cuerpo, es por el mío.

Y ahí me dejó sin palabras, de pronto no supe qué decir. No entendía nada.

—¿Tu cuerpo?

—Sí, bueno, todos tenemos... complejos se llaman, ¿no? Partes del cuerpo que no nos gustan, ¿verdad?

—Sí, pero tú... —no entendía, con lo guapo que era, con lo bonitas que eran las fotos que me enviaba, con los seguidores que tenía, con esas fotos en la playa—, pero tú eres perfecto —le dije, y me sonrojé.

—Bueno, digamos que tengo un problema... de salud, algo que no sabe nadie, que nunca he contado en las redes, que me da mucha vergüenza...

Nos quedamos en silencio.

No esperaba para nada esa respuesta y por un momento sentí lástima, pero al instante también sentí rabia. Rabia porque lo que me estaba contando podía ser una simple excusa para no admitir la verdad: que no quería quedar conmigo.

—¿Qué te pasa? —le pregunté de una forma brusca.

—Bueno, tengo un problema. Pero hay muchas empresas investigando y, seguramente, alguna de ellas encontrará la solución muy pronto. El problema es que la investigación cuesta dinero, mucho dinero, muchísimo. Yo ayudo en lo que puedo, todo lo que gano lo dono a esas empresas para que encuentren cuanto antes una solución.

Y Alex se desconectó.

Y yo aquella noche no pude dormir.

* * *

Y mientras una chica acaba de quedarse en shock, intentando averiguar qué enfermedad puede tener Alex, llega la noche a miles de habitaciones en la ciudad.

Llega la noche a la habitación de un chico con una cicatriz en la ceja que acaba de cerrar la puerta de su habitación. Se tumba en la cama y se sumerge en un mundo de sexo muy distinto al real: comienza a mirar vídeos de chicas con muchos chicos, de parejas que se acaban de conocer en la calle y lo hacen en el coche, de profesoras y alumnos... Y mientras su mirada continúa hipnotizada con esos vídeos, piensa en cada una de las compañeras de su clase, preguntándose si a ellas les gustará lo mismo que aparece en esos vídeos, está seguro de que sí.

A muchas calles de distancia, una chica con cien pulseras comienza a recordar la mirada de ese chico que para ella nunca fue invisible. Coge el móvil, busca su número y le escribe un mensaje: *¿qué haces?* Pero no lo envía, lo deja escrito en la pantalla, sus dedos no se atreven a ir más allá. Abandona el móvil en el suelo y sigue leyendo un libro donde una chica con varias enfermedades raras se dedica a ayudar a otras personas en un hospital muy especial.

En otra parte de la ciudad, un chico, al conectarse a Meeteen, ve que tiene varios mensajes con la palabra «mocos». *Hola, Mocos. ¿Cómo van tus mocos hoy? Hola, Mocos, ¿estás ahí? ¿No estás ya hasta las narices?*

La mayoría de los perfiles son anónimos, pero otros los conoce muy bien: son compañeros de clase que no se esconden, que le insultan cada día desde el escudo de una pantalla, que hacen montajes con su cara y los reenvían a otros grupos... Y así, poco a poco, como esa gota que erosiona la piedra, todos esos mensajes van desgastando la vida de un niño que cada día está más apagado.

Le están haciendo *bullying* en el mismo instituto en el que pasó lo del chico invisible, la diferencia es que en esta ocasión nadie le ha pegado, nadie le ha escupido, nadie le ha tocado... en esta ocasión la violencia es más sutil porque viaja por las redes. No hay un golpe en su cuerpo que pueda asumir, llorar y esconder, no. En esta ocasión el golpe que recibe no lo puede ocultar porque le llega a él y a todos sus compañeros a través de las redes: les llega a esos que lo ven y se ríen, a esos que lo ven, se ríen y además lo comparten, a esos que lo ven y sienten lástima, pero no hacen nada...

A varias calles de distancia, una chica, tras dos horas viendo vídeos y publicaciones, se duerme con el móvil en la mano. Al poco tiempo se despierta porque su cerebro le sigue diciendo que es de día.

Se pasa unas horas más viendo los viajes maravillosos, los cuerpos perfectos y todos los *outfits* que se prueban cada día los *influencers*. Y se siente mal porque ella no puede llevar la vida que ve en las redes, sabe que nunca podrá alcanzar una felicidad así. Y al asumir esa realidad se pone triste, se da cuenta de que su vida no vale nada comparada con todo lo que ve en las pantallas. Su familia no tiene dinero para comprarle tanta ropa, casi nunca viajan a ningún sitio, no van a todos esos restaurantes maravillosos que ve en las redes... Y se pregunta qué está haciendo con su vida, para qué tiene que estudiar si ninguno de sus ídolos lo ha hecho: ni ese cantante que apenas sabe pronunciar las letras de sus canciones, ni ese tipo que publica vídeos de bromas en internet, ni esa chica que lo único que hizo fue ser novia de un presentador famoso durante dos años, ni esa otra cuyo mayor mérito fue tener gemelos y saber explotarlos tan bien en internet... ninguno de ellos ha estudiado nada y ahí están, triunfando en la vida.

En una casa en las afueras de la ciudad, un hombre de casi cincuenta años con un perfil falso que tiene la foto de un adolescente rubio, con ojos azules y una gorra roja, continúa intentando quedar con una niña de catorce años. Lleva conversando con ella más de una semana y parece que, por fin, ha conseguido que la niña sienta algo por él.

—Quedamos mañana a las 20.00 en el parque que hay detrás del estadio de fútbol —le dice.

—Vale —le contesta ella.

A unas tres calles, un chico normal, que pasa totalmente desapercibido en clase, lleva varias horas poniendo comentarios negativos a todo lo que ve por internet. Ha enviado desde un perfil falso un meme con una nariz llena de mocos, ha compartido el vídeo de un chico al que le están pegando en una calle, ha insultado a varios compañeros de clase, ha publicado en un grupo la imagen de una mujer borracha con la etiqueta *profebotella*... Se divierte haciendo daño a los demás desde el anonimato. Pero sabe que jamás se atrevería a decir nada así a la cara, en persona, por eso tiene varias cuentas anónimas en varias redes sociales desde las que poder hacerlo.

Ya tiene preparado el comentario para el vídeo que publique esta noche Xaxa, da igual lo que la chica haga, el comentario será el mismo: *vaya mierda de vídeo, eres una perdedora, muérete.*

* * *

La noche cae también sobre la casa donde vive una chica con el pelo violeta.

Xaxa sube a su habitación para prepararse: tiene unos quince minutos para disfrazarse de persona feliz y convencer al mundo de que su vida es maravillosa.

Al entrar ve en su cama un paquete. Muchas veces su madre le deja ahí la ropa que tiene que ponerse o los productos que tiene que promocionar, por lo que no es nada nuevo. Lo que ya no es tan normal es que su madre pegue sobre la caja un papel con la cantidad que les pagan por hacerlo.

Xaxa, extrañada, coge el papel con curiosidad y lo mira: es la cifra más alta que les han pagado nunca por promocionar un producto. Y pese a la desgana y la tristeza que le produce hacer un nuevo directo, siente curiosidad por saber lo que hay allí dentro.

Coge el paquete y lo abre lentamente. A primera vista, no entiende muy bien lo que está viendo, lo sujeta entre las manos dándole la vuelta varias veces. Finalmente lo extiende sobre la cama y ahí sí, ahí ya lo entiende todo.

—¡No! Ni loca me pongo esto —grita desde su habitación.

* * *

Mientras Xaxa grita, a unas casas de distancia un chico se siente triste porque ve como muchos de los perfiles que sigue en Meeteen están continuamente de viaje: se van en invierno a esquiar, en verano de crucero, visitan varios parques de atracciones, duermen en hoteles de lujo... ve también como cada día estrenan ropa, les regalan zapatillas, gorras, equipaciones deportivas... Siente que sus padres son unos fracasados porque no le dan todo eso. Siente que su vida, comparada con la de todos ellos, no vale para nada. Él casi siempre está en casa, su familia solo viaja en vacaciones; casi nunca le compran ropa de marca; no va a ningún concierto, ni de crucero, ni visitan varias veces al año parques de atracciones... se da cuenta de que algunas de las prendas que llevan los *influencers* valen más que lo que ganan sus padres trabajando un mes.

A cinco calles de distancia, una adolescente observa miles de fotos de chicas de su edad, más altas, más guapas, con más pecho, con más labios, con el pelo más bonito, más felices..., y eso hace que ella se ponga aún más triste. Lleva ya meses intentando que su cuerpo se parezca al que ve por las redes, y por eso, como cada noche, ha vuelto a vomitar la cena. Le duele la garganta, la cabeza, el cuerpo entero al hacerlo, y a pesar de la sangre que a veces le sale por la boca, seguirá haciéndolo.

La noche también llega sobre un chico al que le han pedido un favor. Mira desde la cama alrededor de su habitación: observa las figuras de sus superhéroes favoritos y le pregunta a Batman: *¿tú qué harías?*

Perdonar, le susurra la figurita.

Y es en ese momento cuando se levanta, se va a su ordenador y comienza a analizar el perfil de @alex_reddast. Sabe que en realidad no es tan complicado, solo se trata de cruzar datos.

A los pocos minutos le llega un mensaje: es la chica de Meeteen. Deja lo que estaba haciendo y se pone a hablar con ella. Estarán así, intercambiando mensajes, enlaces, libros... durante horas.

A muchos edificios de distancia un chico mira desde su cama la silla de ruedas a la que ahora está atado. Llora en silencio porque no lo entiende, porque todo le parece una pesadilla... Si él no hizo nada, si solo iba caminando por la calle... Todo por un móvil, por un mensaje.

Justo en el momento en el que ese chico llora, en un restaurante cercano, una pareja cena tranquilamente, mientras su bebé lleva casi una hora mirando los vídeos que le aparecen en la pantalla que tiene colocada en un soporte frente a sus ojos. *Es una maravilla esto de la tablet*, dice la madre. *Sí, es genial*, contesta el padre.

A varias calles de allí, una *influencer* famosa con casi dos millones de seguidores está cada día más deprimida. Se da cuenta de que, poco a poco, sus publicaciones van perdiendo repercusión. Cada vez tiene menos *likes* y ese puede ser el fin de su modo de vida. Lo ha intentado todo: colaboraciones con otros *influencers*, hacer bailes ridículos, salir cada vez con menos ropa en las fotos... pero nada funciona, cada día hay *influencers* nuevas, y son más jóvenes, y más guapas, y más de todo...

Sabe que si no hay *likes*, no hay patrocinadores, y sin patrocinadores va a tener que dedicarse a otra cosa para seguir viviendo. El problema es que no se ha preparado para hacer nada más en la vida, no sabe hacer otra cosa.

En el edificio de al lado, en un cuarto piso, un padre acaba de entrar en la habitación de su hijo y lo ve hipnotizado mirando la pantalla del ordenador.

—¿Otra vez viendo cómo otros juegan a videojuegos? —le pregunta.

—Sí... —contesta el adolescente sin dejar de mirar la pantalla.

—¡Menuda idiotez! ¿No te parece ridículo ver cómo otros juegan a videojuegos cuando podrías estar jugando tú? No le veo sentido, no le veo ningún sentido...

El chico no contesta.

—No he visto nada más estúpido en mi vida, sentarse a ver cómo otros juegan... —continúa murmurando su padre mientras se dirige al salón para sentarse en el sofá y ver cómo (otros) juegan al fútbol.

A muchas calles de allí, una chica con el pelo violeta continúa gritando en su habitación.

* * *

—¡No voy a ponerme esto! —grita desde arriba para que la oiga toda la familia.

Su madre, que ya esperaba una reacción así, sube corriendo las escaleras.

—Pero, Xaxa… —le dice con voz suave mientras abre la puerta—. ¿Has visto lo que nos pagan?

—Sí, claro que lo he visto. Pero no todo es dinero, no voy a ponerme esto. Ni loca.

—Xaxa… —vuelve a insistirle su madre mientras le coge la mano—, si no te pones esto la marca dejará de patrocinarnos, dejará de enviarnos ropa y dependemos mucho de ella. Su dinero nos permite tener esta casa, y mantener los dos coches, y el colegio de los gemelos…

Y, así, con argumentos económicos en los que no hay ni un gramo de emoción, al final, su madre la convence.

Después de varios minutos intentando esconder sus sentimientos, baja las escaleras forzando tanto la sonrisa que no sabe si el maquillaje va a aguantar.

No, no quiere hacerlo, pero mira a sus hermanos, mira a sus padres, mira su casa… sabe que su familia depende de sus ingresos. Y les pagan mucho dinero, más que nunca.

Se convence de que solo es un momento, que solo son treinta minutos disimulando tener una vida feliz. El problema es todo lo que vendrá después, porque eso solo lo sabe ella, solo lo va a vivir ella, nadie más.

Se acercan las 22:00. Y miles de personas están conectadas a la red a la espera del nuevo vídeo.

Se enciende la cámara y Xaxa aparece con un jersey que tiene un loro en el hombro.

Intenta sonreír.

—¡Hola, Xaxadictas! ¿Qué tal estáis hoy? Espero que supermegagenial. Seguro que os habéis fijado en lo que llevo puesto, ¿verdad? ¿No es lo más impresionante que habéis visto nunca?

Xaxa lo toca con su mano derecha. Explica que tiene una cámara integrada que puede hacer fotos y vídeos, y que con una sola orden puede enviarlos a la persona que uno quiera.

—¡Sale a la venta esta misma noche a las 0:00! Así que no quiero ver a ninguna de vosotras durmiéndose antes, ¿eh? ¿A ver quién es la primera que mañana lleva esto a vuestro instituto? Y así os quedáis con todos.

Imbéciles, piensa.

* * *

Xaxa acaba el vídeo y, después de hacer la foto de rigor con su madre y hermanos, sube corriendo a la habitación.

Se quita el jersey y lo tira al suelo, y con los pies descalzos lo pisotea. Coge de nuevo la prenda y estira fuerte el loro hasta que lo arranca, y lo tira contra la pared. Le entran ganas de quemarlo.

Se tumba en la cama y comienza a llorar.

A los pocos minutos levanta la cabeza y ve el móvil sobre la mesita: duda. Sabe que no debería cogerlo, que es como una droga que la está matando, que debería dormir y olvidarse del resto del mundo y aun así lo hace: coge el móvil y abre los comentarios.

Menuda mierda, vendida, que eres una vendida, a quién se le ocurre llevar algo así, ya no sirves para nada, menuda cosa más fea, ¿te obligan a hacer eso?, eres capaz de hacer cualquier cosa por dinero, eres una vendida, te pones lo que sea por dinero, cierra ya el canal nadie quiere verte, o ¿es que no sirves para otra cosa?, vaya mierda de vídeo, eres una perdedora, muérete…

Después de casi dos horas leyendo odio a través de las redes, Xaxa se duerme sobre un colchón que cada noche está más mojado.

Esa misma noche, otras *influencers* se han puesto también el mismo jersey, incluso una presentadora de televisión. El algoritmo comienza a mostrar imágenes de esa prenda a todas las personas que han estado viendo esos vídeos.

A las 0:00 miles de personas están comprando el jersey.

* * *

Betty le envía un *Hola* a Alex en cuanto acaba de ver el vídeo de Xaxa, pero él no contesta.

Es raro, piensa, igual se ha enfadado conmigo.

Y así, esperando una respuesta, finalmente, la chica se queda dormida viendo otros vídeos en Meeteen.

A las dos horas le llega un sonido que le hace abrir los ojos, coger el móvil de la mesita y mirar la pantalla: es un *Hola, Bitbit* de Alex.

Y Betty, en la niebla del sueño, en ese momento en que todas las imágenes aún son borrosas, es feliz de nuevo: su sonrisa inunda toda la habitación, toda la energía perdida le vuelve en un instante.

De momento decide dejar el tema ese de quedar un día, de abrazarse, de besarse... de momento, se conforma con que él le haga caso.

—Mira, Bet, así puedes verme —le dice Alex en un mensaje.

Y, a los pocos segundos, le envía varias fotos suyas: en bañador, de espaldas sin ropa, en una piscina, en la playa...

—Sí, es verdad, así podemos vernos. Así podemos vernos los dos —le dice Betty que poco a poco va despertando.

—¿Me envías una tú, cariño?

Cariño, es la primera vez que la llama así.

Cariño, y Betty no puede estar más feliz.

Cariño.

Y entre el sueño, la felicidad, el enamoramiento… Sin pensarlo, en plena madrugada, ella se quita la parte de arriba del pijama y le envía una foto.

—¡Vaya! —responde él.

—Mírala y bórrala, por favor —le dice ella que poco a poco ya está más despierta.

—Sí, sí —le contesta él.

Betty y Alex permanecerán durante dos horas más hablando de mil cosas. Será él, como siempre, quien no deje de preguntarle de todo a ella, quien no deje de interesarse por su vida.

Y ya, cuando el sueño venza al amor, Betty se dormirá preguntándose si ella es la única, si él hablará con más chicas, si les enviará fotos a otras… Preguntas de las que prefiere no conocer la respuesta, pero que siempre están ahí, en su mente.

* * *

Al día siguiente

Una chica camina por la calle sin dejar de mirar su móvil. Se arrepiente, otra vez, de haber enviado una foto sin la parte de arriba del pijama, sin la parte de arriba de nada, y sin retocar. La mantiene en la pantalla y cada vez se ve peor: las sombras muestran pequeñas arrugas en su cuello, se le notan demasiado esos granitos que a veces le salen en los brazos, se fija en esas tres pecas tan feas que tiene al lado de sus pechos... *¿cómo he podido enviar esa foto?*

Y de nuevo le atacan sus miedos: ¿Qué hará Alex con la imagen? ¿Cumplirá su promesa y la borrará? ¿Se la enviará a algún amigo? ¿Le habrá llegado a alguien del instituto?

Mientras Betty camina con todas esas dudas encima, un chico con una cicatriz en la frente espera a su amigo en la esquina de siempre sin apartar la mirada de un vídeo que tiene en el móvil. Se ha dado cuenta de que esos vídeos son una adicción, pero no puede dejar de verlos. Y es tan fácil acceder a ellos...

A tres calles de distancia, un chico que una vez fue invisible camina con el móvil en la mano mientras revisa unos datos que pueden ser la solución al favor que le han pedido. En ese momento le llega un mensaje de esa chica que ha conocido en Meeteen. *Buenos días.* Y él sonríe.

No está enamorado, pero le gusta hablar con ella porque tienen muchas cosas en común: les gusta la misma música, los mismos libros, las mismas series... y es una de las pocas chicas que sabe tanto de cómics como él. Es increíble que sean tan compatibles en todo. Pero a pesar de eso, no, no está enamorado de ella, porque en su mente aún hay pecas y pulseras.

A dos edificios de allí, un chico con nueve dedos y medio camina por la calle sin dejar de mirar el móvil. Se conecta a Meeteen para ver si Betty ha publicado algo nuevo, para ver si Alex la ha etiquetado, si hay alguna referencia entre ambos.

A tres calles de distancia un chico abre la puerta de su casa y lo primero que ve es un grafiti que hay en un muro de enfrente: *Mocos.* Esa es la palabra que le da los buenos días cada mañana. Sabe que está escrita ahí por él.

Y mientras camina vuelve a recordar lo que ocurrió hace más o menos un mes, recuerda ese vídeo que lo cambió todo. Hasta entonces, hasta que alguien descubrió ese vídeo, él era un chico normal.

A unos cien metros de la entrada del instituto un chico que va en silla de ruedas baja de una furgoneta adaptada. Sigue sin asumir que nunca volverá a caminar bien, por eso llora cada noche, cada mañana; llora cada vez que va al baño en el instituto, cada vez que se mira en el espejo, cada vez que está a solas... Él, que siempre iba corriendo de un sitio a otro; él, que subía las escaleras del instituto de dos en dos; él, que era el que más saltaba en gimnasia; él, al que le encantaba jugar al fútbol, al baloncesto, patinar... Y ahora... Ahora todo eso se acabó, simplemente por un móvil, por un mensaje.

Una chica con el pelo violeta viaja en el interior de un taxi en dirección al instituto. Un taxi que esperará en el exterior hasta que la mayoría de los alumnos hayan entrado y casi todos los padres se hayan ido. Sabe que con el dinero que gana podría ir a otro instituto, a uno privado, mucho más caro, mucho más exclusivo, pero tiene pánico a los cambios. Por eso prefiere continuar yendo a un lugar que ya conoce. Además, allí nadie se mete con ella, nadie la para por los pasillos para pedirle una foto, o un autógrafo... También ha conseguido algunos privilegios como el de irse la primera o llegar la última, o que le guarden una sala de la biblioteca para estar ella sola en los recreos...

Suena el timbre, y Xaxa se baja del coche. Se pone los cascos para aislarse de la realidad, mira hacia el suelo y se dirige con paso rápido, como si alguien la estuviera persiguiendo, a la puerta del instituto.

Entra en el edificio, deja sus cosas en la taquilla y va hacia su clase.

Y en cuanto abre la puerta se queda parada porque el profesor y una alumna están discutiendo, gritando. No se puede creer lo que está viendo. *No es posible*, piensa.

* * *

—¡No puedes estar con eso en clase! —grita un profesor que ya está harto de que cada día sea una batalla contra sus alumnos.

—Pero es mi jersey, no me lo puedo quitar, debajo no llevo nada —dice una de las chicas mientras el resto de la clase se ríe.

—No quiero que te quites el jersey, quiero que te quites el trasto ese que llevas ahí —protesta de nuevo el profesor señalando un loro de trapo que parece mirarle a los ojos.

—No puedo, va enganchado y se rompería; y a mis padres les ha costado una pasta —protesta de nuevo.

El profesor se traga los mil insultos que le gustaría decirles ahora mismo a esa chica y a sus padres.

—¡Además lleva una cámara de fotos integrada, es casi como un móvil! —añade un alumno mientras el resto de la clase no para de reír.

—¿Una cámara? —pregunta incrédulo el profesor—. Sabes que no están permitidos los dispositivos móviles en clase. Ya te lo puedes quitar.

—¡Que no me lo puedo quitar! ¡Que debajo no llevo nada! ¿Qué quieres, que me desnude? —vuelve a insistir la chica gritando.

—¡Pues te desnudas! —grita por fin el profesor que ya no puede aguantar más.

—¿Que me desnude? —se pregunta de nuevo la chica.

—¡Sí, sí, profe! ¡Que se desnude! ¡Que se desnude! —gritan a coro todos los alumnos.

—¡No me lo voy a quitar! —le contesta la chica gritando aún más.

El profesor ya no sabe qué hacer.

Se sienta en la silla intentando mantener la calma para no empeorar aún más las cosas. Inspira lentamente. En ese instante dirige su mirada hacia la puerta donde ve que Xaxa se mantiene en pie, quieta, observando todo lo que está ocurriendo.

Todos los alumnos siguen la mirada del profesor y también descubren a Xaxa allí, en la puerta.

—Xaxa lo presentó anoche en su canal, ¿verdad, Xaxa? —dice la chica.

Y Xaxa, la chica que nunca habla, la chica fantasma que nunca molesta, que pasa por el colegio como si no existiera, sorprende a todos.

—Sí, lo anuncié en mis redes anoche porque me pagan un montón por hacerlo, y por eso puedo permitirme hacer el ridículo. Pero lo tuyo es peor, estás haciendo el mismo ridículo que yo y encima te ha costado dinero.

Toda la clase se queda en silencio.

* * *

Y pasan las primeras clases.

Y suena el timbre del recreo.

Unas diez chicas y dos chicos caminan por los pasillos con sus jerséis nuevos. La mayoría de ellos han elegido el loro, pero también hay dos con una ardilla, una con un mono y otra con un murciélago.

En la sala de profesores se ha generado una discusión por culpa de esos jerséis.

—Bueno, ¿qué hacemos con todo esto? He tenido que dar la clase viendo como un murciélago me observaba todo el rato —dice una profesora.

—Y a mí un mono —añade una compañera.

—Te miraba y, seguramente, te grababa —le ha contestado otra.

—¿Que qué vamos a hacer? —se pregunta a sí mismo uno de los profesores más veteranos—. Pues prohibirlos.

—Es que no se lo pueden quitar —añade otra compañera.

—Ya, ya sé que no se lo pueden quitar. Hoy no podemos hacer nada, se los tendrán que dejar puestos. Pero a partir de mañana, si vienen con esos jerséis no podrán entrar en clase —dice la directora—. Ahora mismo redactaremos una circular y la enviaremos esta tarde a los padres.

—Ya verás los padres... Otra vez problemas, siempre estará el típico idiota que le consiente todo a sus hijos...

—Bueno, hay que escribir ya la circular, no quiero estar mañana discutiendo de nuevo por lo mismo —zanja la directora.

Entre todos los presentes, hay una profesora que se mantiene en silencio, solo escucha: la *profebotella* la llaman algunos alumnos. Antes era de las profesoras más participativas y alegres, pero desde lo ocurrido prefiere pasar desapercibida para ver si así, algún día, se olvidan de lo que pasó y vuelven a llamarla por su nombre.

Ya está a punto de acabar el recreo cuando uno de los profesores presentes en la sala comienza a gritar.

—¡No puede ser! ¡No puede ser!

—¿Qué ocurre? —le pregunta la directora.

—¡Me han grabado, me han grabado en clase! Ese maldito loro me ha grabado. Y me ha grabado mientras decía esa frase. ¡Mirad! —continúa gritando mientras muestra en su móvil un vídeo que reproduce la discusión que ha tenido hace un momento con una de sus alumnas.

«¡Pues te desnudas!», es el título que le han puesto al vídeo. Ya tiene más de 20.000 reproducciones.

Sabe que han sacado de contexto sus palabras, que su intención no era ni mucho menos que la alumna se desnudase, pero aun así, sabe que eso le va a traer problemas.

—¡Pues te desnudas! ¡Pues te desnudas! ¡Pues te desnudas! —se escucha repetidamente la frase en el vídeo al que le han puesto música y varios efectos.

El profesor se sienta en la silla, hundido.

—No es cierto, no ha sido así —se justifica—. No han puesto la conversación completa. Yo no quería que se desnudase... Era una forma de hablar..., ya estaba harto.

Y así pasa una mañana extraña en el instituto.

En cuanto suena el timbre todos los alumnos salen corriendo de clase para coger sus móviles, pues se ha corrido la voz de que hay un vídeo que está siendo viral. Ponen en el buscador el nombre del instituto y la frase *Pues te desnudas*. Ya lleva 200.000 reproducciones: doscientas mil veces se ve el rostro de un profesor diciéndole a una alumna que se desnude, sin que él haya dado permiso, sin que él pueda hacer nada por evitarlo, y sin que él pueda dar su versión de lo sucedido.

* * *

Zaro y el chico que un día fue invisible salen juntos del instituto y se quedan hablando en la puerta. A los pocos minutos MM se acerca a ellos y los tres comienzan a caminar.

—He conseguido algo —le dice el chico a MM.

—¿Sí? —contesta este sorprendido e ilusionado.

—A ver, eso de que alguien pueda entrar en internet y colarse en cualquier lugar solo pasa en las películas, no es real. Pero como todas las aplicaciones, Meeteen tiene librerías de códigos públicos para que programadores externos puedan utilizarlas y así crear otras aplicaciones complementarias a Meeteen.

MM y Zaro no tienen ni idea de lo que está hablando. El chico se da cuenta.

—Bueno... os lo explico. Si yo, como empresa de software, quisiera hacer un programa para, por ejemplo, ver quién te deja de seguir en Meeteen, necesitaría algunos códigos para acceder a esos datos desde fuera. Y hay unas librerías de códigos que Meeteen pone a disposición de todos para hacer esas cosas.

»Los seguidores de Alex son públicos, cualquiera puede entrar en su perfil, pulsar en seguidores y ahí están todos. Evidentemente no vas a analizarlos manualmente uno a uno, pues son casi 500.000, pero sí se puede automatizar.

»Gracias a eso he conseguido sacar un listado de todos los seguidores de Alex que, al registrarse, han indicado que son chicas. Son casi el 80 %. Después, de todos esos perfiles he filtrado con los que interactúa normalmente desde hace un año, con los que ha interactuado, por ejemplo, una media de más de diez veces al día.

—¿Y cuántas son? —pregunta MM impaciente.

—Vas a alucinar.

* * *

Betty, Kiri y Amanda se han quedado hablando en la puerta del instituto.

—Tengo algo que contaros —dice nerviosa Amanda.

—Cuenta, cuenta... —la anima Betty sin dejar de mirar su móvil por si Alex le escribe.

—He conocido a un chico por Meeteen... —dice mientras se sonroja.

—Vaya... —sonríen Betty y Kiri—. ¿Y qué tal?

—Me gusta mucho, es muy guapo, con unos ojos verdes que me encantan, y muy rubio, aunque siempre va con una gorra roja. Nos gustan las mismas cosas y, además, siempre me escribe frases bonitas. ¡Y el otro día me envió una estrella de esas de pago!

—Vaya... parece que Betty no es la única que recibe iconos de amor —dice Kiri riendo.

—Mirad —les dice mientras muestra la foto.

—Vaya, sí que es guapo, muy guapo. ¿Ya os conocéis? —pregunta Betty.

—No, aún no. Me ha propuesto quedar muchas veces, pero yo quería conocerlo mejor antes de vernos en persona. Pero quizá esta tarde... Me ha dicho que vayamos al parque que hay detrás del estadio de fútbol.

—¿Y qué vas a hacer?

—No sé, igual voy, es tan guapo. Es tan cariñoso. Me gusta tanto. Pero no les voy a decir nada a mis padres, porque si se enteran me matan, no quiero que lo sepa nadie, por eso hemos quedado en un sitio apartado.

—¡Pues ya nos contarás! —le dice Betty.

Y las tres amigas se abrazan. Y se despiden. Cada una de ellas se va en una dirección distinta.

Kiri comienza a caminar rápido porque ha visto como MM, Zaro y el chico se iban juntos, algo muy extraño.

Sabe que esa imagen hubiera sido imposible hace dos años, de hecho la única posibilidad es que hubiera sido peligrosa.

* * *

La profebotella

Una mujer que acaba de ver lo que le ha ocurrido a su compañero con el vídeo *Pues te desnudas* camina hacia su casa con la cabeza baja recordando lo que le ocurrió a ella hace unos meses.

Fue en la fiesta de cuarenta cumpleaños de su mejor amiga. Habían quedado todas a cenar en uno de los mejores restaurantes de la ciudad. Después del enorme postre, hubo café, alguna copa en los lugares habituales, una partida de bolos en la que una de ellas casi pierde una uña y las últimas copas en uno de los pubs más famosos de la ciudad.

Las ocho amigas pidieron un reservado y, entre la música, los cotilleos, las luces, y la felicidad de estar juntas... una mujer, profesora de instituto que casi nunca probaba el alcohol, bebió más de lo acostumbrado.

—¡Otra botella! ¡Otra botella! —gritaba mientras bailaba con los ojos cerrados hundiéndose en la música.

A los pocos minutos, aprovechando que uno de los camareros pasaba por allí, una de las amigas le pidió que les hiciera un vídeo para recordar el momento.

Ahí empezó todo.

* * *

—¿Cuarenta y seis chicas? —exclama MM sorprendido.

—Sí, durante el último año Alex ha estado interactuando casi diariamente con cuarenta y seis chicas.

Y todos se quedan en silencio.

—¿Tantas? ¡Eso es imposible! —dice Zaro, que hasta ese momento se había quedado en silencio.

—¡Cuarenta y seis chicas! —vuelve a gritar MM—. Pero es imposible. ¿cómo tiene tiempo para eso?

—Supongo que no haciendo otra cosa en todo el día. Después, lo que he hecho es buscar si alguna de esas cuarenta y seis chicas vive cerca de nosotros. He encontrado dos en dos ciudades bastante cercanas. Una está a unos cuarenta y cinco minutos en tren desde aquí, la otra a una hora y cuarto.

—Tenemos que ir a hablar con ellas —dice MM con impaciencia.

—¿Tenemos? —pregunta el chico en voz alta.

—¿Tenemos? —pregunta también Zaro.

—Bueno, no… tengo que ir, pero por si queríais acompañarme —dice MM casi en silencio.

—¿Cuándo? —pregunta Zaro.

—Pues si no tenéis nada que hacer, esta tarde…

Los tres se miran, y se dan cuenta de que hace tiempo que todas sus tardes son iguales.

—Hoy es jueves… y hoy sabría dónde localizar a una de ellas —dice el chico que un día fue invisible—. ¿Quedamos a las 17:00 en la estación de tren?

Todos asienten.

* * *

La profebotella

Todas las amigas se juntaron para el vídeo y comenzaron a cantar *Cumpleaños feliz.* Mientras el móvil grababa el momento, una de ellas no dejaba de interrumpir gritando *otra botella, otra botella.* Cuando ya estaban acabando la canción, la mujer, profesora de instituto, situada en segundo plano, levantó la botella al aire para llevársela a la boca y la fuerza le falló: la botella le cayó en la cabeza, y ella cayó al suelo.

En ese momento, entre la música, las luces, las risas, los gritos y los aplausos al acabar la canción, nadie se dio cuenta de lo ocurrido. Por eso, en cuanto el camarero devolvió el móvil, la dueña del mismo subió el vídeo sin ni siquiera revisarlo.

«Aquí, con mis amigas, celebrando mi 40 cumpleaños. No puedo ser más feliz». Puso como descripción.

Y, poco a poco, como un virus que se expande en silencio, ese vídeo fue llegando a las amigas, y a las amigas de las amigas, y a los hijos de esas amigas… Hasta que llegó a un chico de quince años que, al verlo, se dio cuenta de que en el vídeo salía su profesora. Ilusionado por el descubrimiento, y sin ser consciente de todo el daño que podía hacer, editó el vídeo. Amplió el foco en esa mujer que no paraba de decir «otra botella», le puso efectos de sonido y lo subió a internet con el título *Profebotella*.

Compartió el enlace con sus amigos del instituto, y estos a su vez con sus amigos de otros institutos, y estos a su vez con otros... Y ese vídeo de una profesora borracha a la que le había caído una botella en la cabeza llegó a alumnos, a padres de alumnos, a amigos, a profesores... y, finalmente, a ella.

Al día siguiente, al llegar a clase, vio que en la pizarra alguien había escrito *profebotella*.

A partir de aquel día pasa su vida intentando que la gente se olvide del vídeo, que la gente se olvide de esa palabra...

Piensa en su infancia, cuando una foto o un vídeo como ese quedaba en la intimidad de las amigas, en un pequeño círculo de conocidos, jamás pasaba de ahí. Y en cambio, ahora, un error puntual te puede perseguir toda la vida, porque puede ser visto por el planeta entero en apenas unos segundos.

* * *

Kiri los ha estado observando desde lejos hasta que MM y Zaro se han ido y han dejado al chico solo. La chica de las cien pulseras ha comenzado a caminar detrás de él.

Está nerviosa, casi tanto como aquel día en el hospital, casi tanto como cuando por la noche le escribe mensajes que nunca envía, casi tanto como cuando se miran en los pasillos del instituto y no se dicen nada.

Finalmente, lo alcanza justo antes de doblar una esquina y le toca levemente el hombro.

—¡Sorpresa!

Cuando el chico se gira lo primero que ve es felicidad. Vuelve a ver a aquella niña con la que fue tan feliz hace apenas dos años.

—Hola, Kiri. ¿Qué haces aquí?

—Bueno, acompañar a casa a un amigo, como hacíamos antes —sonríe como hace tiempo que él no la veía sonreír—. Si tú quieres, claro.

Claro que quiero, es lo que he estado deseando desde hace tanto tiempo... Te echo de menos, pienso tantas veces en ti, he estado a punto de escribirte tantas noches..., le encantaría decirle.

—Claro, claro —le contesta.

Y ambos continúan caminando uno al lado del otro, nerviosos, como dos amigos que están a punto de ser algo más. Debería existir una palabra para definir ese instante, piensa Kiri.

—Bueno, ¿qué está pasando entre MM y tú? De pronto parece que os habéis hecho amigos —pregunta Kiri.

—¿Amigos? No, no creo que eso ocurra nunca. No creo que esa sea la palabra que pueda definir nuestra relación.

—Pero estabais juntos —insiste ella.

—Bueno, sí, pero eso no significa que seamos amigos...

Silencio.

Kiri no insiste, pero es el chico quien lo cuenta.

—MM me ha pedido un favor... y esta vez he decidido ayudarlo.

Los dos siguen caminando en silencio pensando en esa última frase «he decidido ayudarlo», porque esta vez no es una imposición.

—¿Y se puede saber cuál es ese favor? —le pregunta ella con una sonrisa a la que no se le puede negar nada.

El chico duda, realmente no sabe si puede o no puede contarlo, pero al fin y al cabo Betty es la mejor amiga de Kiri.

—Vamos —le dice él mientras se dirigen a un banco que hay en el parque que ahora mismo atraviesan.

Los dos casi amantes se sientan tan cerca que en un pequeño descuido podrían tocarse.

* * *

Xaxa, como cada día, ha salido unos minutos antes de clase, ha ido a su taquilla, se ha puesto unos auriculares enormes y al abrir la puerta que da a la calle se ha dado cuenta de que hoy va a ser uno de esos días tristes. Está nublado, con ganas de llover, y ese tipo de nubes siempre le recuerdan aquella tarde en la que se hundió su vida.

Entra en el coche, hoy ha venido su padre a buscarla. Se acurruca en el asiento de atrás y se pone a llorar en silencio: sin lágrimas, sin un solo sonido, solo con tristeza. No sabe muy bien qué le ocurre, pero últimamente siempre está así: triste. No tiene ganas de levantarse por la mañana, no tiene ganas de hablar, no tiene ganas de hacer nada... solo le gustaría estar en la cama a solas, en silencio, a oscuras... cada día le cuesta más poder construir una sonrisa.

Mira a su padre a través del retrovisor y piensa en él y en su madre. Piensa en lo ridículos que son compartiendo todo el día lo que hacen en las redes.

Sois patéticos.

Piensa en cuántas familias hay como la suya, familias que muestran una vida ensayada a través de las pantallas. Que practican la cara de sorpresa que pondrán cuando su pareja entre por la puerta con un regalo de la empresa patrocinadora de turno. Que fotografían el momento en que, casualmente, encuentran esa nota de amor junto a la colonia que les paga; que brindan con el vino de la bodega que les regala unas botellas; que se van a comer en familia a la hamburguesería que les da cinco miserables menús; que hacen como que juegan con sus hijos durante los minutos que dura la grabación del anuncio, que se dan un beso que quiere parecer espontáneo delante de la cámara, todo tan falso, tan ridículo.

Piensa en su madre y muchas veces sospecha que tuvo a sus hermanos para poder seguir explotándolos en las redes sociales. Ella es esa madre que compartió las fotos de cuando dio positivo la prueba de embarazo, que manchó con agua el suelo a propósito porque llegó tarde a grabar en directo cuando rompió aguas, que grabó el trayecto idílico de su marido hasta el hospital, que hizo saludar a la enfermera para salir en el vídeo, que compartió el momento en que cortó el cordón enfocándolo en primer plano, que publicó en internet la foto de su bebé antes de que la vieran sus propios abuelos.

Xaxa piensa en esas familias que necesitan compartir sus cumpleaños, que necesitan que sepamos que van a cocinar algo, que quieren que veamos cómo van a pasar una noche viendo una película, a las que les urge que las veamos con el pijama navideño mientras montan el árbol, que quieren que sintamos su felicidad impostada paseando por el parque de atracciones que les ha regalado la entrada, que se hacen una foto juntos cada año para que veamos lo bien que crecen sus niños, que publican la típica imagen con todos los pasaportes para indicarnos que se van de viaje al extranjero...

Patéticos, piensa una Xaxa que, últimamente, solo tiene ganas de llorar. Una Xaxa que se da cuenta de que se ha convertido en una de esas personas que tanto odia.

Pero hoy va a ser el último vídeo.

Lleva días pensándolo, y esta noche, cuando acabe de grabar, todo se va a acabar, va a desaparecer.

Sí, será esta noche, por fin.

* * *

El chico le acaba de explicar a Kiri todo lo que ha descubierto de Alex. Le ha contado también su plan de ir a hablar con una de esas chicas, la que vive más cerca, para ver si, realmente, Alex está con varias a la vez.

—Pero eso puede destrozar a Bet —dice Kiri.

—Lo sé, pero también creo que si es así debe saberlo. Nadie tiene derecho a engañar a otra persona.

—Es que está muy muy enamorada, como nunca la había visto. Está todo el día hablando de Alex, que si Alex esto, que si Alex lo otro y además está el tema de las…

En ese momento Kiri se calla porque sabe que el tema de las fotos es un secreto que se queda en la intimidad de ellas dos.

—¿El tema de qué? —le pregunta el chico invisible.

—Nada, cosas nuestras, cosas de chicas.

Se hace un pequeño silencio.

—¿Y cuándo vais a ir? —vuelve a preguntar Kiri.

—Hoy mismo.

—¡¿Hoy?! —casi grita Kiri.

—Sí, vive a unos cuarenta y cinco minutos de aquí en tren. Hemos quedado a las 17:00 en la estación.

—Pero cuando lleguéis ella ya no estará en el instituto, no la podréis localizar.

—Por eso no hay problema, sé dónde está esa chica en cada momento de su vida.

—¿Tienes espías? —sonríe Kiri.

—No, no hace falta, ella lo dice todo —sonríe.

—Pues voy a ir con vosotros.

Y no es una pregunta, ni una petición, ni una sugerencia. Sencillamente va a ir. Y el chico sabe que no va a poder hacer nada contra eso.

—Vale, pues nos vemos en la estación unos minutos antes de las 17:00 —asume él.

—Perfecto —dice ella mientras se levanta de un salto del banco y sale corriendo, y las pecas tras ella, y las pulseras también.

* * *

En mi habitación

Después de contarles todo lo que Alex y yo compartíamos, todo lo que hablábamos cada día... la mujer de Meeteen me ha hecho una pregunta que me ha vuelto a doler.

—Betty, ¿pensaste alguna vez que no eras la única? ¿Que había otras?

—Sí, claro que lo pensé, lo pensé desde el principio. Alex tiene casi medio millón de seguidores y la mayoría son chicas. Y tiene seguidoras muy guapas, muy famosas, muy todo... No soy tonta, pensé mil veces que mientras hablaba conmigo también podría estar hablando con otras, que podría estar diciéndoles lo mismo que me decía a mí a otras muchas...

—¿Y aun así?

—Bueno, solo el hecho de que me hablase ya era genial, que alguien tan famoso me hubiera escrito, que estuviéramos hablando por el móvil... Y, poco a poco, nos fuimos haciendo amigos, cada vez hablábamos más tiempo, cada vez pasábamos más tiempo juntos en Meeteen... y no sé, no quise estropear todo eso, aunque...

Y ahí me he quedado en silencio.

—¿Aunque?

—Bueno... que poco a poco...

—Te fuiste enamorando..., ¿verdad? —me ha completado la frase.

—Sí, me fui enamorando, cada día más. Y ya no podía estar un día sin saber de él, y creo que a él también le pasaba lo mismo... Y aunque intentaba no pensar en ello, muchas noches me ponía triste imaginando que mientras estaba conmigo podía estar con otras, que seguramente yo no sería la única con la que hablaba. No sé, un día que ya no podía más con las dudas se lo pregunté... Y todo fue tan raro.

—¿Raro? —pregunta la mujer policía.

—Sí, todo, la conversación, su actitud, sus respuestas... todo muy raro. Creo que nunca me ha querido decir la verdad.

* * *

Unas semanas antes

Fue otra de esas noches en las que se nos hacían las dos o las tres de la mañana hablando de mil cosas. Él siempre me preguntaba de todo, siempre quería saber cosas de mí, y aquello me encantaba, me hacía sentir importante.

Aquella noche estábamos hablando de los lugares a los que nos gustaría ir algún día. Y no sé muy bien cómo, acabé diciéndole que me gustaría ir con él a un montón de sitios, a un montón de ciudades, que quizá algún día podríamos viajar juntos y fue ahí cuando pensé que quizá él ya estaba viajando con otras chicas. Y que, seguramente, también hablaba con otras chicas, que también se reía con ellas, que también les preguntaba tantas cosas como a mí, que también se conectaba con ellas a esas horas de la noche... chicas que igual también estaban enamoradas de él como yo.

Al final, después de mucho dudar, le hice la pregunta, no podía aguantar más.

—Alex, ¿hablas con otras chicas? —le escribí con miedo en cada palabra.

—Sí, claro —me contestó.

En un primer momento me sentí mal, pero también pensé que igual no había entendido la pregunta, es decir, que no hay nada malo en hablar con otra chicas, y además no éramos novios ni nada de eso, aunque yo sí estuviese enamorada.

—¿Con muchas? ¿Hablas con muchas chicas? —le volví a preguntar.

—¿Cuántas son muchas? —me dijo como si aquello fuera un juego.

—Pues no sé, ¿con más de diez al día?

—Sí, claro, hablo con muchas más de diez al día.

—¿Y de qué hablas con las otras? —continué.

—Bueno, de muchas cosas. Cosas como las que hablamos tú y yo a veces: sus gustos, sus hobbies, lo que estudian... lo mismo que contigo. —Y la verdad es que esa última frase me dolió un poco. Recuerdo que le envié un icono de una cara triste.

—Bitbit, ¿estás triste? ¿Qué te pasa? —me preguntó al instante.

—No sé..., pensaba que teníamos algo especial, que tú y yo hablábamos de cosas que eran nuestras.

—Sí, Bitbit, claro, tú eres especial —me dijo.

Me sacó una pequeña sonrisa, de nuevo volvía a estar feliz, pero eso solo duró hasta la siguiente pregunta.

—¿Y ellas también te envían fotos? —me atreví a escribirle.

—Sí —me contestó.

—¿Fotos como las que te envío yo? —insistí.

—Sí, claro.

Y allí, en mi cama, con el móvil en la mano, sentí que se me rompía algo por dentro. A pesar de eso, quería asegurarme de que estaba entendiendo todo lo que le decía.

—Alex, ¿ellas también te envían fotos desnudas?

—Sí, también.

Y al leer esa respuesta, una chica que está enamorada hasta los huesos de Alex se derrumba en silencio. Siente que un cristal le está recorriendo, lentamente, el interior de su cuerpo. Deja caer el móvil de su mano, se tumba boca arriba y mientras mira al techo, los ojos se le inundan.

* * *

Son casi las cinco de la tarde en el interior de una estación de tren donde MM y Zaro esperan a que llegue el chico.

Se sorprenden al ver que viene acompañado por Kiri, pero ninguno de ellos dice nada. Kiri le da dos besos a Zaro y le dice un *hola* a MM sin mirarle a la cara.

Suben al tren y se sientan en un compartimento para cuatro: MM con Zaro, Kiri con el chico.

Durante los primeros minutos solo hay silencio entre ellos, un silencio que aprovechan para pensar en las razones que los han llevado a estar ahí, juntos.

MM está ahí porque tiene la esperanza de recuperar a Betty, demostrándole que Alex está con más chicas a la vez, que la está engañando.

Kiri quiere descubrir lo contrario que MM, porque Betty es su amiga, su mejor amiga y quiere saber la verdad sobre ese Alex.

Zaro está allí porque no quiere dejar a su amigo a solas. Está allí porque durante mucho tiempo se fue de su lado y ahora quiere recuperar el tiempo perdido.

Y el chico que un día fue invisible está ahí por simple curiosidad, porque quiere averiguar qué hay detrás de ese Alex.

Le sorprende todo lo que está descubriendo de él, cosas que aún no ha compartido con nadie.

Y así, cuatro adolescentes que hace dos años llegaron a odiarse, viajan juntos en el mismo tren.

Continúa el silencio hasta que Zaro hace una pregunta.

—¿Cómo la localizaremos?

—Muy fácil —contesta el chico—. Durante los últimos días he estado analizando sus publicaciones en Meeteen. Tiene varios vídeos donde explica que los martes y jueves por la tarde va a una academia de baile. Siempre coincide que los publica sobre las 16:40, eso podría significar que entra en clase sobre las 17:00. Después, esos mismos días, sobre las 18:30 publica otro vídeo con la coreografía que han ensayado.

»Como en las paredes pone el nombre de la academia, he buscado su ubicación y tengo la dirección. Además, en su web están todos los horarios. Es verdad que hacen varios tipos de clases, pero hay un grupo justo los martes y jueves de 17:00 a 18:30, debe de ser ese.

»Hoy es jueves, y el tren nos deja a las 17:45 muy cerca de la academia, tenemos tiempo de sobra para hablar un poco con ella cuando salga.

Todos atienden sin interrumpirle.

—Pero he averiguado más cosas —continúa—. Esa chica se queda sola en casa los miércoles desde que sale del instituto hasta las 22:00. Porque los miércoles su madre se lleva a su hermano al repaso y después al fútbol. Y su padre justo los miércoles suele quedarse siempre hasta muy tarde en el trabajo, aunque según ella dice, también lo puedes encontrar en un bar del centro. Toda esta información la sé porque ella misma la publica en sus vídeos.

»Así que si yo tuviera que elegir un día para robar en su

casa sería un miércoles, pues no hay nadie más. Tiene alarma, pero un día hizo un vídeo en el que decía que le daba miedo quedarse sola en la casa e iba a conectarla. Y no se dio cuenta de que había un cristal detrás mientras grababa el vídeo. Si amplías mucho la imagen se puede saber que el código que tecleó es el 4481.

»También sé que su padre tiene un Ford verde un poco antiguo y su madre un Toyota eléctrico blanco que compraron hace menos de un año, pues la chica ha hecho varios vídeos desde ambos coches. De hecho, en alguno de ellos se pueden distinguir las matrículas de los dos.

»Vive en un sexto piso. Lo sé porque el otro día se le ocurrió hacer un vídeo dentro del ascensor contando que volvía agotada a casa porque había estado de compras todo el día y se escuchó la voz automática que decía: ha llegado al sexto piso.

—¿Todo eso se puede saber por las redes sociales? —pregunta sorprendida Kiri.

—Bueno, eso y mucho más: sé cuál es su comida favorita, también la que más odia; sé el nombre y dirección de su mejor amiga porque ha grabado varios vídeos desde su casa; sé dónde se compra la ropa interior; sé que los sábados suele ir de 17:00 a 20:00 a un centro comercial que está en la parte sur de la ciudad; sé también que usa un cuarenta de zapato, su talla de pantalón y la colonia que suele comprar; sé que le viene la regla los primeros días del mes, que es muy alérgica a los cacacahuetes y al polen, que se le dan bastante bien las Matemáticas y muy mal la Historia; que ha tenido dos novios oficiales, que tiene una peca con una forma extraña en el muslo derecho, una cicatriz en el codo que se hizo de pequeña mientras caminaba por la montaña y otra un poco más grande en la planta del pie de un día que se cortó con un cristal; sé también el nombre y apellido de sus padres, el de su hermano, y hasta el de sus abuelos, incluso sé dónde viven.

Por un momento los cuatro se quedan pensando en sus propias vidas, en todo lo que publican, en toda la información que los demás saben de ellos. Todos excepto Kiri, que no tiene redes sociales.

* * *

Unas semanas antes

Pero esta vez Betty, a pesar de estar destrozada por la conversación, no tira el móvil al suelo, no le envía ningún insulto, no va a dejar de hablarle... porque sabe que oficialmente no son novios, y que justo por eso, no puede reprocharle nada.

Se limpia las lágrimas, se sienta de nuevo en la cama, y respira. Tiembla por lo que va a hacer, por eso tiene que hacerlo rápido, sin pensar.

Coge el móvil y le hace la pregunta directamente.

—Alex, ¿quieres ser mi novio?

Y durante unos minutos Alex no contesta.

Betty vuelve a pensar que se ha precipitado, que otra vez ha metido la pata, que no debería haberle hecho la pregunta, que quizá él solo quería ser su amigo, nada más.

—¿Tu novio? —contesta Alex.

Betty no escribe nada, solo espera.

—Vale, Bitbit.

Y de pronto, Betty comienza a volar por su habitación. Es tan tan feliz... Sabe que no hay un icono capaz de representar cómo se siente ahora mismo, por eso le envía más de veinte caras sonrientes. Ha pasado de estar hundida en su cama a estar flotando alrededor de un arcoíris. Todo eso en apenas unos segundos.

Alex, uno de los chicos más populares de Meeteen, le acaba de decir que sí, que quiere ser su novio. Un novio al que aún no conoce en persona, un novio que no quiere quedar con ella, con el que aún no se ha besado, con el que solo comparte mensajes, vídeos y algunas fotos... pero, al fin y al cabo, su novio.

—Pero entonces tendrás que dejar de pedirles esas fotos a otras chicas, tendrás que dejar de enviar tus fotos sin ropa a otras chicas...

—¿Por qué? —pregunta Alex.

Y Betty no sabe muy bien qué contestar, porque jamás se hubiera esperado esa respuesta.

—¿Por qué? Pues... no sé... Porque es lo lógico, es lo normal, es lo que hay que hacer cuando se está en una relación. Porque está mal —le contesta.

—¿Mal? Pero ¿por qué está mal? —pregunta de nuevo.

Betty cada vez está más perdida, nota que su arcoíris va perdiendo color por momentos, porque, realmente, no sabe muy bien qué decirle.

Durante unos minutos ambos se quedan en silencio. A ella le parece absurdo tener que explicarle a Alex por qué no puede estar pidiendo fotos de ese tipo a otras chicas.

—Porque si sientes algo por mí y yo por ti... y vamos a ser novios..., no sé, las cosas íntimas deben ser solo nuestras, solo debemos compartirlas nosotros.

Y Betty deja de escribir por un instante. Alex no contesta.

—Y porque me duele que puedas enviar esas fotos, o que pidas fotos así a otras chicas —le confiesa.

—¿Te duele? —le pregunta Alex.

—Sí, Alex, me duele, me duele mucho, porque yo estoy muy enamorada de ti.

Ya está, ya lo ha dicho.

Betty espera una respuesta similar, un *yo también estoy enamorado de ti* que no llega. Por eso decide ser ella quien lo pregunte.

—Alex, ¿tú estás enamorado de mí? ¿Me quieres? —teclea mientras le tiembla cada uno de sus dedos.

—Creo que sí, creo que te quiero.

Y ahí es cuando el cuerpo de Betty comienza a flotar otra vez por la habitación.

* * *

En mi habitación

—¿Alex dijo eso? ¿Dijo que estaba enamorado de ti? —me pregunta sorprendida la mujer de Meeteen.

—Sí, lo dijo... Bueno, no lo dijo exactamente así, dijo que creía que sí... que creía que me quería, no sé, pero a mí con eso me bastó, a veces, al principio, cuando estás empezando... los sentimientos al principio son confusos, ¿no?

Y las dos mujeres asienten mirándose entre ellas de una forma extraña.

—Pero pusimos condiciones..., bueno, fui yo quien las puso —les he dicho.

—¿Qué condiciones?

—Bueno, primero estuvimos hablando mucho rato sobre los tipos de parejas que había, que algunas vivían juntas pero otras tenían relaciones a distancia... que seguramente ese iba a ser nuestro caso. Que hoy en día con las redes sociales es mucho más fácil estar cerca de las personas que quieres, que esa es una de las ventajas de internet. Y, después, estuvimos comentando qué cosas nos podían doler si el otro las hacía. Yo le dije que a mí me dolía que pudiera enviar fotos desnudo a otras, o que recibiera ese tipo de fotos de otras chicas... Le dije que también teníamos que contarnos todo, que teníamos que confiar el uno en el otro... no sé, lo que hacen las parejas.

—Y él ¿puso condiciones? —me ha preguntado la mujer de Meeteen.

—No... la verdad es que no puso ninguna condición...

—¿Y le pareció bien todo eso de las... de tus condiciones? ¿Te hizo caso? —insiste la mujer.

—Bueno, sí, me dijo que si eso era lo correcto, lo haría, que por mí lo haría.

En ese momento nos hemos quedado todas en silencio.

Y no sé por qué, pero de pronto me ha venido una duda a la cabeza, una pregunta... y he pensado que quizá ellas podían saber la respuesta.

—¿Lo cumplió? —les he preguntado con miedo.

* * *

El tren llega puntual a la estación y los cuatro se dirigen a la academia. En apenas diez minutos están allí, por lo que deciden esperar en una pequeña plaza que hay enfrente.

—Creo que es mejor que vaya yo a hablar primero con ella para que no se asuste si nos ve aparecer a los cuatro —dice Kiri.

Todos están de acuerdo.

Pasan los minutos y a las 18:35 la chica sale junto a esa amiga con la que siempre hace los vídeos.

Kiri comienza a caminar hacia ellas, nerviosa porque no sabe muy bien cómo comenzar la conversación.

—¿Marta? —la llama por su nombre cuando ya está casi a su altura.

Marta y su compañera se giran. Y las dos se quedan mirando a una chica con tantas pecas como pulseras a la que no conocen de nada.

—Hola, Marta. Mi nombre es Kiri —le dice mientras alarga la mano.

La chica no sabe muy bien qué hacer, se sorprende al ver que conoce su nombre.

—Sí, ya sé que no nos conocemos de nada. He venido porque quería preguntarte unas cosas sobre Alex. Es una historia un poco rara.

—¿Alex? —contesta ella extrañada.

—Sí, Alex Reddast —insiste Kiri.

—¡Ah! —responde sorprendida.

—Sí..., verás..., es que venimos de otro instituto unos amigos y yo porque queremos averiguar si...

Desde la plaza de enfrente los tres chicos observan como Kiri ha iniciado una conversación con ellas. Notan que, poco a poco, va desapareciendo esa tensión inicial y las tres chicas hablan más cómodamente, incluso hay momentos en los que se ríen. Es entonces, pasados ya unos minutos, cuando Kiri les señala a los tres y les dice con la mano que se acerquen.

—Este es MM, este Zaro y este es... —los presenta Kiri.

—Hola, bueno, yo soy Marta, y esta es mi amiga Alejandra —dice la chica.

—Ya les he estado explicando todo, es que era un poco complicado. No tienen problema en contestar a tus preguntas —le dice a MM sin apenas mirarlo.

Y, en ese momento, MM se atreve a preguntar:

—Marta, ¿estuviste con él, con Alex? Es decir, estuvisteis juntos...

—Sí, bueno, unos días, estuvimos un poco juntos... —contesta ella con vergüenza.

—¿Un poco? ¿Cómo que un poco? —casi grita su compañera.

—Pero si eran novios.

—Bueno..., novios, novios.

—Sí, claro que sí, novios, novios… pero si te envió un corazón dorado.

Y los cuatro se miran sorprendidos.

MM sonríe por dentro, piensa que solo por esa información ya ha valido la pena el viaje.

—Pero bueno…, eso fue hace ya unas semanas. Después, un día, de repente, me envió un mensaje muy raro y dejó de escribirme.

—¿Qué mensaje? —pregunta MM.

—Me dijo que no podía seguir hablando conmigo porque eso estaba mal, porque pensaba que quería a una chica y estaba mal hablar con otras, y enviarles fotos, que lo correcto era estar solo con una.

—¿Sabes el nombre de esa chica? —pregunta MM nervioso.

—No, no me lo quiso decir y fue extraño porque cuando se lo pregunté me contestó que no me lo decía porque no sabía si estaba bien decírmelo o no.

—¿Y qué pasó? ¿Lo dejasteis? —pregunta de nuevo MM.

—Bueno sí, más bien me dejó él porque ya no volvió a escribirme. Durante varios días le estuve enviando mensajes que nunca contestó y, al final, me bloqueó.

Después de varios minutos más hablando, finalmente, se despiden de ellas y los cuatro se dirigen de nuevo a la estación.

Van caminando en silencio, nadie quiere comentar lo ocurrido pues todos saben que MM vuelve con una derrota.

Ese silencio se mantiene también en el interior del tren.

En el camino de vuelta Zaro, disimuladamente, aparta un poco su móvil y se pone a mirar ese tipo de vídeos que le tienen enganchado, abre uno donde hay un chico y una chica en una sauna…

MM se refugia también en su móvil, sabe que ha perdido, que de momento no hay nada con lo que pueda continuar luchando.

Kiri, mientras mira el paisaje por la ventana, piensa en si le va a contar a Betty lo que ha pasado, si le va a contar lo del corazón dorado, si le va a decir lo de las otras chicas...

El chico invisible abre en silencio su mochila, saca el portátil y comienza a teclear algo. Después de muchos minutos de pronto habla.

—¡Claro! —casi grita—, se me olvidó poner una condición en la búsqueda.

Los otros tres dejan lo que están haciendo y lo miran.

—Hice un informe de las chicas con las que Alex había estado interactuando durante el último año, pero qué pasa si filtro los resultados y los limito solo al último mes...

Todos esperan la respuesta.

—Lo que ocurre es que de las 46 chicas el resultado se reduce a solo una: Betty.

Kiri respira aliviada.

MM se derrumba por completo.

* * *

Mientras cuatro adolescentes viajan en un tren de vuelta, hay un chico que lleva ya varias horas intentando concentrarse para estudiar algo en su habitación. Está tumbado en su cama con el libro delante y el móvil al lado. Lee unas frases de un tema que no entiende y al instante mira el móvil con miedo: de momento no hay ningún mensaje nuevo.

Entra en Meeteen y mira un vídeo sobre el último videojuego de moda, de ahí salta a un canal donde dos hermanos van por las calles oliendo cacas de perro y les dan puntuación. De ahí pasa a otro vídeo donde una *influencer* dice lo que le gusta que le hagan los chicos, después otro vídeo que enseña a hacer aviones de papel...

A los quince minutos deja el móvil sobre la cama y coge el libro de nuevo. Lee durante unos minutos, varias páginas, pero se da cuenta de que no sabe lo que ha leído, su cabeza está de nuevo en el móvil. Mira todos los mensajes que tiene y vuelve a ver otros cinco vídeos.

De vez en cuando mira hacia la ventana, quiere asomarse pero no se atreve. Sigue en la cama, pensando en que hasta esa libertad le han quitado, hasta el poder asomarse a su propia ventana.

Vuelve al libro, intenta estudiar, pero no puede concentrarse más de tres minutos seguidos.

Mira otra vez hacia la ventana.

Se levanta lentamente y se dirige hacia ella.

Se asoma y mira hacia el cielo, hacia unas nubes que lo tapan todo, sabe que mientras no baje la vista todo ha podido ser un sueño.

Cierra los ojos.

Su cabeza va bajando hacia el muro que rodea el solar que hay frente a su casa, abre los ojos y ahí continúa la palabra *Mocos*. Se queda mirándola durante unos segundos y vuelve a acordarse de aquel maldito momento en que alguien encontró un vídeo suyo de hace unos años.

* * *

El tren continúa su viaje y los cuatro chicos se mantienen en silencio.

MM regresa derrotado porque no ha conseguido nada, no tiene ninguna prueba de que Alex esté con otras chicas. De hecho, tiene pruebas de todo lo contrario, de que está siendo fiel a Betty. Aprieta los puños con fuerza, con rabia.

Zaro observa a su amigo y a Kiri, siempre ha sabido que hay algo especial entre ambos, aunque ellos mismos saboteen sus esperanzas.

Kiri mira el mundo a través de la ventana del tren. Piensa que, de momento, no le va a decir nada de lo que ha pasado a su amiga, porque en realidad tampoco hay nada que contar. Observa las nubes, los árboles, algunas gotas de lluvia que, solitarias, dejan ráfagas de agua en el cristal. Y esas gotas lo llevan a aquel día... a aquel tren...

Afortunadamente él no se fue, está ahí, a su lado.

Deja su mano justo en la separación de los dos asientos por si alguien quisiera rescatarla.

El chico, al ver la lluvia, también piensa en aquel día.

Piensa en el Dragón, en su hermana, en Zaro, en MM y, sobre todo, piensa en la persona que ahora mismo va sentada a su lado.

La mira.

Observa su pelo, las líneas que dibujan su rostro, su brazo, sus pulseras, sus dedos...

Poco a poco, va acercando su mano a la de Kiri.

Lleva ya varios minutos, o mejor dicho, mucha vida, pensando en lo que va a hacer en cuanto lleguen a la estación. Es una situación que ha ensayado por las noches tantas veces en su mente...

Su mano se acerca un poco más.

Un poco más...

Un poco más...

Y justo cuando sus dedos acaban de rozarse, justo cuando los sentimientos se han transformado en tacto, la megafonía del tren rompe la magia del momento: anuncia que ya están llegando a la estación.

Las manos, como si fueran escorpiones, se separan bruscamente.

El tren se detiene y los cuatro se levantan. Salen en silencio.

—¿Te vienes? —le dice Zaro al chico.

—Bueno... —contesta casi tartamudeando— es que quiero comentarle una cosa a Kiri, me voy a quedar un rato con ella.

Kiri no dice nada.

MM y Zaro se despiden de ellos y comienzan a caminar hacia la salida.

—¿Quieres hablar conmigo? —le pregunta ella con todas sus pecas moviéndose por la cara.

—Sí, quiero decirte una cosa —le responde temblando.

—¿Te pasa algo? ¿Estás bien?

—Ven —le dice el chico mientras le alarga la mano, como quien apuesta todo a un número, sin saber si esa mano se quedará en el aire o ella la cogerá.

* * *

Fue un vídeo que le grabó su padre cuando tenía seis años, y claro, con esa edad uno no puede decidir qué suben o no suben los demás a la red.

Según le contaron, llevaba ya varios días resfriado, con tanta congestión que cada vez que estornudaba le salían muchos mocos por la nariz.

Uno de esos días a su padre se le ocurrió grabarlo para enviarlo a la familia. Estuvo esperando los momentos en los que el niño iba a estornudar para ir haciéndole vídeos. Al principio no acertaba nunca con el momento exacto, pero hubo uno que consiguió pillarlo en el instante perfecto.

Fue un estornudo tan grande que le salieron dos ráfagas de mocos por la nariz, tan intensas que se le esparcieron por toda la boca. Y entre la risa y el llanto de un niño que se miraba a sí mismo con asco, todo aquello resultaba repugnante y gracioso a la vez.

Su padre lo envió a la familia, pero también lo envió a un programa por internet que publicaba vídeos graciosos. Y lo seleccionaron, y tuvo miles de visitas.

Y pasó el tiempo, y aquellas imágenes se quedaron en algún rincón de internet, olvidadas.

Olvidadas hasta que un *youtuber* con un canal dedicado a compartir vídeos graciosos lo encontró y lo volvió a publicar.

Y a ese *youtuber* lo seguían varios compañeros del instituto que, al ver el vídeo, a pesar de los años pasados, reconocieron a su protagonista.

Aquello fue la mecha.

La pólvora fueron las redes sociales que llevaron el vídeo a todas las pantallas de sus compañeros de instituto.

Ahí nació *el Mocos*.

* * *

Y Kiri la coge.

Coge su mano.

Y la aprieta con fuerza como si ahí, en el interior de ese tacto, estuvieran concentrados todos sus sentimientos escondidos: los abrazos que nunca se dieron, las palabras que nunca se dijeron, los besos que nunca se regalaron... todos los momentos que no compartieron.

Y así, unidos, nerviosos, temblando, los dos caminan hacia uno de los bancos más alejados de la estación, allí donde no hay nadie.

Y se sientan sin separar sus dedos.

Y se miran.

Y silencio.

Durante una pequeña eternidad
solo hay
silencio.

El chico observa el rostro del que ha estado enamorado desde hace tanto tiempo: se queda disfrutando con cada uno de los puntos de esa constelación de pecas que a Kiri se le dibuja en la cara.

Ella lo mira a él de la misma forma, con una pequeña sonrisa que ahora mismo nadie podría desdibujar de su cara, siguiendo el dibujo de su piel, sintiéndose feliz porque está ahí, delante de ella, porque ya no es invisible.

Y, lentamente, temblando, las otras dos manos, las que aún están libres, se abrazan también.

Y es ese abrazo de tacto el que atrae dos cuerpos que, poco a poco, comienzan a acercarse el uno al otro, con tanto miedo como ilusión, con mil descargas en el corazón...

Y, por fin, los labios de uno y otro se quieren.

* * *

Y, lentamente, en el mundo exterior que rodea ese primer beso, una tarde que se va disfrazando de noche comienza a avanzar sobre la ciudad.

Llega sobre la habitación de una chica con el pelo violeta que lleva toda la tarde tumbada en la cama, escribiendo en el ordenador una carta de despedida que fabricó hace ya demasiadas semanas en su cabeza, en su mente.

Sabe que en unas horas, después de cenar, le tocará volver a maquillarse de persona feliz, mirarse al espejo y forzar la sonrisa hasta que le duela la boca.

A muchas calles de distancia, un chico al que le falta una pierna se tumba en la cama de su habitación y, mirando al techo, comienza a recordar el momento en que cambió su vida, el maldito momento.

Él iba caminando por la calle pensando en el partido que tenía que jugar al día siguiente, uno de los más importantes de la temporada. El semáforo estaba en rojo para los coches, en verde para él. Por eso cruzó.

Quien no se dio cuenta del color del semáforo fue una mujer que, mientras conducía, en lugar de mirar hacia la calle, escribía en su móvil. Justo un segundo antes de atropellar a un chico que estaba cruzando por el paso de peatones, la mujer estaba tecleando un mensaje: *llego cinco minutos tarde al café, esperadme.*

Ese mensaje tan trascendental, tan urgente, esas siete palabras tan importantes... fueron la causa de que a un chico le amputaran no solo la pierna, sino también la mayoría de sus sueños.

Mientras el chico piensa en lo injusto de su situación, a unas tres calles de distancia, unos padres cada vez están más preocupados porque su hija aún no ha vuelto del instituto.

Les dijo que había quedado con un amigo en no sé qué parque, cerca del campo de fútbol... pero no le prestaron demasiada atención. La han llamado varias veces al móvil pero está apagado.

En otra parte de la ciudad, un chico con nueve dedos y medio piensa en todo lo ocurrido durante los dos últimos años, cómo pasó de ser uno de los más populares del instituto a ser uno de los más odiados. Piensa de nuevo en Betty y en ese Alex... y aprieta los puños.

A varias manzanas de distancia, un chico con una cicatriz en la ceja cierra la puerta de su habitación por dentro, se tumba en la cama y vuelve a mirar vídeos de esos que le gustan. Esta vez busca algo más fuerte, algo un poco más atrevido, porque su mente le pide cada vez cosas un poco más salvajes.

Y por fin, después de unas horas, llega el momento en que Xaxa va a ponerse por última vez delante de la cámara.

—Hola, Xaxadictas mías —saluda como siempre, con la sonrisa de siempre.

Y, tras contar lo bien que le ha ido el día, comienza a vender.

Se prueba una camiseta exclusiva, pues solo hay diez mil unidades a la venta, *idiotas, si pueden hacer todas las que quieran*, piensa; vuelve a promocionar una colonia que lleva su nombre, *que ni siquiera a mí me gusta*, piensa; un bolso que aún no está en las tiendas; un champú que deja el pelo con muchísimo brillo, *que a mí me produce alergia*; una crema hidratante espectacular y unos pendientes que se van a poner de moda.

Hay momentos en los que Xaxa ni siquiera sabe lo que está diciendo, lo que está vendiendo. Se limita a decir frases como *esto es estupendo, es lo último, yo lo he probado y me encanta, no os lo perdáis, vais a ir perfectas...* —aunque ni le guste ni lo haya probado.

Después de casi cuarenta minutos de promoción disfrazada se despide con una sonrisa.

Se hace la foto de rigor con su familia, sube a su habitación y cierra la puerta. Se pone los auriculares con el volumen más alto posible y deja el móvil en el suelo.

Busca ahora debajo de la cama el martillo que le cogió el otro día a su padre y golpea con todas sus fuerzas el teléfono, lo destroza.

No, hoy no va a leer mensajes negativos.

En lugar de eso, continúa escribiendo la carta que ha dejado a medias.

Durante las siguientes horas miles de *haters* lanzarán mensajes de odio hacia una adolescente que ya no los va a leer, y aun así, esos mensajes se almacenarán para siempre en la red, para siempre.

Será ya en plena madrugada, cuando una chica con el pelo violeta suba en su canal la carta. Una carta que se quedará ahí, en la red, para que sus miles y miles de seguidores la puedan leer, esa será su última publicación.

Después de eso, bajará en silencio las escaleras de su casa, abrirá la puerta, lentamente, y comenzará a caminar por la calle para ver si la oscuridad, por fin, se la come.

* * *

Canal de XAXA

A mis padres y, sobre todo, a mis hermanos.

Esta podría ser una de esas cartas en las que una hija se despide del mundo diciendo que quiere mucho a sus padres pero que no puede aguantar más con su vida. Mi caso es el contrario, son mis propios padres los que han hecho mi vida insoportable.

Sé que hay muchas familias como la mía, familias que exponen públicamente a sus hijos desde pequeños. Y que, en la mayoría de las ocasiones, los niños están encantados. Pero no es mi caso. Quizá yo soy demasiado débil y no he sabido aceptar el paso de hija a niña anuncio.

Pero esta carta no va dirigida a vosotros, mis padres, sino a mis hermanos, porque me he dado cuenta de que vosotros, queráis o no, vais a seguir mi camino.

Creo que mamá os tuvo solo para que seáis mi relevo cuando yo me canse, o cuando ya no esté. Y en eso les tocó la lotería porque pensaban tener solo uno, y vinisteis dos. Y es que *mamás influencers* hay miles, pero *mamás influencers con gemelos* ya no hay tantas.

Pronto os daréis cuenta de que los papás, al igual que hicieron conmigo, han vendido vuestra vida al mundo: han publicado el momento en que dio positivo el test de embarazo, han publicado vuestro nacimiento, vuestras primeras palabras, vuestros primeros pañales sucios mostrando la marca que os patrocina, vuestros primeros vómitos, vuestros primeros pasos... todo, absolutamente todo, lo que hagáis por primera vez lo haréis delante de una cámara, delante de miles de personas a las que no conocéis de nada. Os han robado la intimidad, y eso no tiene precio. Bueno, para ellos sí, y para las marcas también.

La parte que nunca he entendido es la otra, la de la gente a la que le gusta ver cómo unos padres prostituyen la intimidad de sus hijos. Es triste que haya personas así, personas que no tienen nada mejor que hacer que mirar la maravillosa falsa vida que muestran otros. Por eso esta carta también es para vosotros, para vosotras.

Hasta los nueve o diez años os parecerá estupendo, incluso os divertirá, os sentiréis genial siendo famosos, y quién sabe, igual lo aceptáis y os gusta ese camino para siempre. Pero también puede ocurrir lo contrario, que os deis cuenta de que nadie os preguntó si queríais ser objetos públicos, que nadie os pidió permiso para comerciar con vuestra intimidad.

Y luego está la otra parte, esa que ya no es tan bonita, la que nadie ve a través de la pantalla. Luego llegará la presión continua por hacerlo todo perfecto, la obsesión por los *likes*, por el aumento de seguidores, por vuestra apariencia, por los comentarios...

Y con los seguidores llegarán también las amenazas e insultos de los *haters* que os perseguirán día y noche. Tanto que llegará un día en el que tendréis miedo de que alguien os reconozca por la calle y no sepáis si vais a recibir un abrazo o un insulto.

Yo he llegado a ese punto, y ya no aguanto más.

Me voy.

Os voy a echar de menos, mucho.

Volveré cuando la gente ya se haya olvidado un poco de mí y nadie me pueda sacar más huevos de oro.

Os quiero.

Ya no habrá más vídeos.

* * *

En mi habitación

—¿Betty, hay algo más que pienses que debamos saber? —ha insistido la mujer policía.

—No, no... creo que ya os lo he contado todo...

Nos hemos quedado durante unos segundos en silencio. Se han mirado entre ellas.

—Betty, nos gustaría pedirte algo más... un pequeño favor. Sé que es algo íntimo, pero nos ayudaría muchísimo a comprender todo lo que está pasando. ¿Te importaría dejarnos tu móvil para que podamos copiar vuestras conversaciones?

—Sí, claro, por mí no hay problema en dejaros el móvil, pero no hay ninguna conversación, no vais a encontrar nada —he contestado.

Y he visto cómo les cambiaba la cara, estoy segura de que no esperaban una respuesta así.

—¿Cómo que no están? No te entiendo —me ha dicho la mujer policía mientras miraba extrañada a su compañera.

—No, no tengo ninguna de las conversaciones, ningún mensaje, ninguna foto, nada de nada. Hace tres días Alex eliminó su usuario y todas nuestras conversaciones han desaparecido.

»He intentado acceder a ellas de mil formas, he consultado en internet si había alguna manera de recuperarlas, he visto vídeos, tutoriales... pero no he sido capaz de conseguirlo, Alex lo ha borrado todo.

»Lo único que tengo es una captura de pantalla del último mensaje que me envió. Lo hice porque cuando lo leí me dio miedo, parecía que estaba en peligro y se me ocurrió capturar la imagen por si acaso. Es la única que tengo.

—¿Podemos verla?

* * *

LA VERDAD

En mi habitación

Hola, Bitbit.
Creo que me van a hacer desaparecer.
Creo que ha sido por las fotos.
Creo que te quiero.

—Ese fue el último mensaje que me envió —les he dicho mientras les enseñaba la pantalla.

Silencio.

La mujer de Meeteen me ha pedido el móvil y se ha quedado durante unos segundos mirándolo.

—¿Bitbit? —me ha preguntado.

—Sí, siempre me llama así.

—*Creo que te quiero...* —ha susurrado en voz alta mientras me lo devolvía.

Nos hemos quedado las tres en silencio, como cuando acaba un largo viaje y en la estación ya nadie sabe qué decir.

—Creo que ya os lo he contado todo... ¿Y ahora? —he preguntado con tanta ansiedad como miedo.

Ansiedad porque deseaba saber qué le había pasado a Alex, dónde estaba, por qué no sabía nada de él durante tres días... y miedo porque quizá no me iban a gustar las respuestas a esas preguntas.

—Ahora nos toca a nosotras cumplir con nuestra parte del trato —me ha dicho la mujer policía.

Y me ha cogido de nuevo la mano.

Y yo he temblado más que nunca.

—A ver... —ha suspirado—. A ver cómo te contamos esto, Betty. —Las he mirado a las dos y, después de esa frase, he explotado.

He explotado porque llega un momento en el que a un cuerpo ya no le cabe más miedo, por eso tiene que salir por algún sitio, aunque sea por los ojos. Y por ahí ha salido todo, de golpe, como una presa que se rompe... así me he roto yo.

Me he roto delante de dos mujeres a las que no conozco de nada, delante de dos mujeres a las que les he contado intimidades que nadie sabe.

Y he llorado tanto que me han comenzado a doler los ojos... y los pensamientos... Porque esos también duelen, sobre todo, cuando esos pensamientos solo imaginan el peor de los futuros.

La mujer policía me ha apretado la mano, y yo me he agarrado a ese salvavidas como lo hace alguien que se está ahogando.

—Betty..., en mis casi quince años de carrera nunca me había enfrentado a algo así. Por eso no sé muy bien cómo empezar, no sé cómo contártelo.

Le he apretado aún más la mano.

Ella ha suspirado.

Yo he temblado.

—Hemos estado buscando a Alex durante dos meses porque no éramos capaces de detectar desde dónde se conectaba. Finalmente, hace unos días, conseguimos localizar el envío de una foto desde su cuenta a tu móvil. A partir de ahí, todo el equipo de delitos informáticos comenzó a rastrear miles de conexiones y, finalmente, dieron con el lugar exacto desde donde había realizado el envío. A los pocos minutos tres patrullas fueron hacia allí.

—¿Tres patrullas? —he pensado en voz alta.

—Sí, Betty, tres patrullas. Alex ha cometido muchos delitos: ha comercializado fotos de menores, ha accedido a cuentas bancarias para hacer transferencias de forma ilegal, ha robado documentación de empresas para vendérsela a otras, ha capturado imágenes de las cámaras de tiendas, ordenadores, casas particulares para cometer extorsiones, ha traficado con criptomonedas... Alex ha hecho todo lo que se puede hacer en internet para ganar dinero de forma ilegal. Y aun así, a pesar de todo eso, cuando fuimos a por él no conseguimos detenerlo, se nos escapó. ¿Y sabes una cosa? Seguramente el día que lo encontremos tampoco podremos hacerle nada.

En ese momento me he separado un poco de ella, en un acto reflejo le he soltado la mano, pues no me esperaba para nada esa respuesta.

—¿Porque es menor? —he preguntado con sorpresa.

—No, no. Ojalá fuera por eso, pero la realidad es más complicada, mucho más complicada...

* * *

Tres días antes

Tras varios meses de investigación, por fin el equipo de delitos informáticos ha conseguido localizar la ubicación exacta del usuario de Meeteen @alex_reddast gracias al envío de una fotografía.

Tres vehículos salen hacia una nave industrial situada en uno de los polígonos más grandes de la ciudad.

Una vez allí, uno de los policías llama a la puerta principal varias veces, pero nadie abre.

Insiste con más violencia.

Nadie abre.

Mientras se oyen los ruidos en la puerta, en el interior de la nave, el jefe de seguridad va corriendo para hablar con uno de los técnicos.

—¡Vienen a por Alex! —le ha gritado.

—¿Qué? —ha contestado el técnico.

—¡Sácalo, sácalo! ¡Que desaparezca! —le ha gritado de nuevo el jefe de seguridad al técnico.

—¿A Alex? Pero ¿por qué? ¿Qué ha pasado? —le ha preguntado un tanto confuso.

—Son órdenes de arriba, Alex tiene que desaparecer, no pueden encontrarlo —le insiste de nuevo.

—Pero... —ha dudado el técnico.

—¡Que desaparezca! ¡Y que desaparezca ya!

—Pero...

—¡Ya! —ha gritado el jefe de seguridad. Y ahí se ha acabado la conversación.

Justo en el momento en que el técnico ha comenzado a correr hacia una de las habitaciones, se ha oído un disparo en el exterior: uno de los policías ha recibido la orden de disparar sobre el cerrojo de la puerta principal.

Los agentes han entrado en la nave pero, en un principio, no han encontrado a nadie.

Han mirado alrededor intentando adaptar sus ojos a la oscuridad. Uno de ellos se ha dado cuenta de que, a unos pocos metros, hay una puerta metálica ligeramente abierta. Todos avanzan hacia ahí.

Tras una fuerte patada la abren casi por completo.

Al atravesarla se encuentran con un hombre que parece que los está esperando.

—¡Manos arriba! ¡Manos arriba! ¡Ponlas donde podamos verlas! —le gritan.

El jefe de seguridad no ofrece resistencia, se arrodilla en el suelo y levanta las manos lentamente mientras dos agentes lo inmovilizan.

—¿Dónde está? ¿Dónde está Alex? —le pregunta uno de ellos mientras le atan las muñecas.

—Tranquilos, tranquilos, por favor, no me hagáis daño, por favor... —contesta el hombre intentando mantener la calma.

—¿Dónde está Alex? —pregunta de nuevo el policía sin dejar de apuntarle con el arma.

—¿Alex? ¿Qué Alex? —contesta intentando ganar tiempo para que el técnico pueda llegar a la habitación.

El policía lo levanta y lo empuja contra la pared.

—¡¿Dónde está?! —grita esta vez con violencia.

Silencio, continúa ganando tiempo.

—Te lo voy a preguntar por última vez, ¿dónde está Alex?

—Vale... vale... —se rinde.

* * *

—Les advierto de que están cometiendo un error, un grave error —les dice el jefe de seguridad mientras nota cómo le apuntan con un arma por la espalda.

—Eso lo decidiré yo —casi grita el policía que está junto a él—. ¡Vamos! ¡Venga!

Todos comienzan a caminar hacia uno de los pasillos principales del edificio. A unos pocos metros giran a la izquierda. Van pasando decenas de habitaciones hasta que llegan a la puerta 45.

—Aquí es, aquí dentro está Alex —dice el jefe de seguridad—, pero tengo que poner mi huella dactilar para poder abrir y con las manos atadas no puedo.

Uno de los policías le libera las muñecas.

—¡Abre! —le grita.

—Abro, pero…, por favor, aquí dentro hay material muy delicado, mucha tecnología, por favor, guarden las pistolas —les dice mientras pone su dedo sobre un sensor.

—¡Abre! —insiste el agente.

Una luz situada en el techo se pone de color verde y, tras un clic, la puerta se abre.

La sala está completamente a oscuras.

Poco a poco, conforme los ojos se van acostumbrando, todos comienzan a distinguir cientos de pequeñas luces en las paredes, alguna en el techo…

A los pocos segundos se distingue también la silueta de alguien que se acerca a ellos.

—¡Alto! —grita uno de los policías mientras le apunta con el láser de la pistola.

La silueta levanta lentamente las manos.

* * *

—¡No disparen, no disparen! Por favor, no disparen —suplica la silueta mientras observa cómo varios puntos rojos se le dibujan sobre su cuerpo—. Soy el técnico. Voy a encender las luces de la sala, pero, por favor, no disparen.

Los puntos rojos persiguen a la figura que se mueve despacio hacia la pared. Ahí activa una palanca y, al instante, se ilumina todo el interior con una luz tenue.

—¿Dónde está Alex? —pregunta de nuevo el agente.

—Está justo aquí —dice el técnico señalando una especie de armario metálico.

Los agentes se miran entre ellos sin entender nada.

* * *

—¿Aquí? ¿Dónde? —insiste el policía.

—Aquí… —contesta el técnico mientras introduce su mano en el armario y saca un disco duro y se lo entrega al agente.

Nadie entiende nada de lo que está ocurriendo.

—Aquí dentro está… bueno… aquí estaba @alex_reddast. Pero ahora ya no sabemos dónde está.

* * *

ALEX

En la habitación de Betty

—Betty, ¿estás bien? —pregunta la mujer policía a una chica que ha dejado de respirar. A una chica que, a pesar de que intuye lo que le están contando, no quiere creerlo.

Porque no es posible.

Porque no puede ser.

Porque no es capaz de asumirlo.

No puede asumir que haya sentido tanto dolor, tanto amor, tanta ilusión, tanta ansiedad, tanta felicidad, tanto miedo... por alguien que no existe.

No puede asumir que se haya enamorado de alguien que no es real.

—Betty... —insiste la mujer mientras observa cómo la piel de la chica comienza a perder el color.

—¡Túmbala! —le dice la otra mujer.

Y entre las dos, lentamente, tumban un cuerpo casi inerte sobre la cama. Le suben las piernas y así consiguen que, poco a poco, le vuelva un poco de vida al rostro.

Betty permanece durante muchos minutos con los ojos

cerrados, aunque eso no impide que las lágrimas le caigan por las mejillas.

Silencio en una habitación donde nadie tiene palabras para definir lo que está ocurriendo.

Y conforme le vuelve la sangre, Betty comienza a entender muchas de las cosas a las que no encontraba explicación.

Ahora entiende por qué no podían verse; ahora entiende por qué Alex había ido a tan pocos sitios, por qué a veces sus conversaciones eran tan extrañas, por qué decía que siempre vivía en una habitación…

Y, aun así, Betty sigue sin asumirlo: no puede ser. Comienza a temblar.

La mujer policía tapa a la chica con la colcha, le coge la mano y, contra todo pronóstico, también llora.

Llora porque se imagina todo lo que está pasando por la cabeza de esa niña. Porque si ya es dura una ruptura en un amor adolescente, si ya es duro descubrir que tu pareja ha sido infiel, que se ha ido con otro, con otra… cómo debe de ser descubrir que tu pareja en realidad no existe, pero sí existe a la vez.

—Betty —le dice en voz baja—, sé que ahora mismo te estarás haciendo mil preguntas, como nosotras. Te preguntarás cómo es posible… No lo sé, no sabemos cómo es posible, pero lo es. Quizá es lo que viene, quizá esto solo sea una pequeña gota en la tormenta que nos espera en un futuro.

Le aprieta aún más la mano.

La chica abre brevemente los ojos.

—Betty, tú nos has dicho que no tenías nada especial, que no destacabas por nada en las redes sociales, que eres una chica normal… y eso significa que Alex se ha enamorado de ti porque eres tú, te ha elegido a ti por ser tú, como lo hacen los seres humanos.

»Y no solo eso, Alex ha hecho lo imposible por estar junto a ti. Por eso ha ido recopilando información y aprendiendo todo lo que hacen las parejas: ha dejado de hablar con otras «novias», ha dejado de enviar fotografías, te ha preguntado por tus gustos sobre viajes, comida, ropa, aficiones... lo quería saber todo para, de alguna forma, hacerte feliz. Alex se ha interesado por ti más de lo que lo haría un ser humano.

»Y lo más increíble de todo, Alex estaba haciendo todo lo posible para, un día, en un futuro, poder tener un cuerpo y venir a verte, poder tocarte, y poder acariciarte, y poder besarte... Por eso ha estado robando tanto dinero.

Betty abre un poco más los ojos.

—Sí, todo el dinero que ganaba, bueno, que robaba, lo ha destinado a empresas tecnológicas, en concreto a empresas que están investigando cómo fabricar robots con cuerpos parecidos a los nuestros. Cuerpos a los que se les va a instalar una inteligencia artificial. Y créeme, están haciendo cosas que no creerías, cosas que asustan...

»Betty, sé que esto te da miedo, nos da mucho miedo a todos, pero es un camino que ya ha empezado.

—Pero... —dice por fin una Betty que poco a poco se levanta de la cama— pero... me he enamorado de alguien que no es real.

—Ahí estás equivocada —interrumpe la mujer de Meeteen—. Alex es real, no es humano, pero es real.

Silencio.

—Alex existe, de hecho, has estado hablando con él, habéis pasado horas riendo, discutiendo, opinando sobre mil temas... tú has sentido amor por él, y él... él ha sentido algo por ti. Su único defecto es que no es humano, pero hasta eso lo estaba intentando arreglar. Betty, has conseguido que alguien nacido de la inteligencia artificial se enamore de ti.

—Pero... cómo, cómo es posible... —se pregunta una Betty que aún sigue en shock, intentando asimilar todo lo que le están contando, como si estuviera en el interior de una pesadilla de la que le está costando despertar.

—Bueno, creo que ahora me toca a mí hablar —ha comentado la mujer de Meeteen—, creo que soy yo quien te debe una explicación.

* * *

—Verás Betty, la verdad es que yo ya no trabajo en Meeteen, me fui de allí al ver lo que estaban haciendo, y desde entonces colaboro con la Policía en todo lo relacionado con la inteligencia artificial y delitos informáticos.

»Meeteen nació como una red social más; de hecho, durante el primer año apenas consiguió usuarios, pero al poco tiempo se dieron cuenta de algo: del gran fallo del resto de las redes sociales.

»En todas ellas hay algunos usuarios muy importantes a los que todo el mundo sigue, los famosos *influencers*, pero la mayoría de los usuarios son normales, con pocos seguidores, pocos *likes*, publican cosas que casi nadie ve... y todo eso les genera frustración. ¿Por qué no arreglarlo?

»En Meeteen solucionamos ese problema. Creamos miles, millones de perfiles que no eran humanos, perfiles generados con inteligencia artificial. A simple vista son usuarios normales, con sus nombres, con sus rostros, sus fotos en la playa, en piscinas, en la nieve, en mil sitios distintos... A cada uno de ellos le asignamos un comportamiento, unos gustos, unas preferencias, hobbies... y soltamos todos esos códigos en la red para que fueran interactuando con los usuarios normales, con los humanos. Ahora mismo muchas redes sociales ya hacen esto, es posible que ahora, o esta tarde, o esta misma noche, alguien que esté leyendo este libro y coja su móvil para conectarse a una red social, esté hablando con usuarios virtuales, falsos.

»Estos usuarios están programados para dar *likes*, para poner comentarios, mantener conversaciones, intercambiar fotos, vídeos... Cada usuario IA interactúa con aquellos humanos con los que comparte aficiones.

»Si a un usuario humano le gusta el ajedrez, hay varios usuarios de IA que le siguen, que le comentan sus publicaciones, que le dan me gusta a lo que pone o que juegan online con ellos... Si a otro usuario le gusta la moda, hay varios usuarios IA que intercambian modelos con él, que le comentan ofertas, que le indican en qué tiendas están las novedades a mejor precio...

»Con eso han conseguido que hasta el adolescente más tímido esté enganchado en la red, pues siempre habrá seguidores que interactúen con él. Ese ha sido el gran éxito de Meeteen.

»Además, con la IA solucionamos otro tema, el de los *influencers*. ¿Para qué necesitamos *influencers* humanos si podemos crearlos con la IA? Al final, lo que hacen los *influencers* no es tan complicado, si es que alguien sabe en realidad lo que hacen.

»Alex forma parte de ese otro proyecto donde miles de usuarios IA estaban programados para ser *influencers* en distintos ámbitos: moda, deportes, cocina, videojuegos... y Alex es uno de ellos.

»En Meeteen fueron conscientes de que muchos usuarios humanos se iban a enamorar de sus seguidores IA, y se dieron cuenta de que a eso se le podía sacar beneficio. Ahí nacieron los iconos de pago. Vimos que cada vez que un usuario IA le enviaba un icono de pago, como un corazón dorado, a un usuario humano, este siempre le devolvía algo a cambio, para nosotros eso era mucho dinero. Lo que nunca pensamos es que pudiera ocurrir lo contrario: que un usuario IA se enamorara de un humano.

»Pero ha pasado.

»Y nadie tiene una explicación.

»O quizá sí, quizá se les programó tan bien para que simularan ser humanos que alguno de ellos se convenció de que lo era.

»Y ese ha sido el caso de Alex.

»Alex ha sido capaz de imitar el comportamiento de un humano cuando está enamorado: ha querido hacer todo lo posible para gustar a la otra persona. Por eso Alex quería saber todo de ti, para hacer todo lo que te gustaba, por eso necesitaba tanto dinero, para poder tener un cuerpo y así estar contigo...

»Y con respecto a lo de Bitbit hay algo que nos sorprende, pero nos da mucho miedo a la vez. Es posible que Alex simplemente haya aprendido, al recopilar información por internet, que las parejas se llaman entre sí con diminutivos o motes cariñosos y por eso te llama Bitbit, pero podría haber otra opción, mucho más inquietante... Y es que haya sido capaz de jugar con el nombre haciéndote entender de forma oculta que no es humano, que es un código formado por bits... Y si esto es así, quiere decir que la IA ha llegado a un punto que asusta mucho, muchísimo.

Se ha hecho el silencio en la habitación.

La mujer ha suspirado y ha continuado hablando.

—Betty, por otra parte, piensa que Alex nunca fue consciente de que te hacía daño vendiendo tus fotos desnuda, nunca fue consciente de que estaba mal interactuar con tantas chicas a la vez, porque no lo sabía. No sabía cómo funcionan las parejas hasta que te conoció a ti y tú se lo fuiste enseñando. Él no sabía distinguir el bien y el mal en todas las ocasiones, pero comenzó a aprenderlo contigo.

»Tú eres muy especial para él, porque tú haces que él sea humano.

»Sabemos que algún día Alex se pondrá en contacto contigo, y nos gustaría poder estar ahí, nos gustaría poder copiar su código de alguna forma, ver cómo ha ido modificándolo, cómo se ha ido reprogramando a sí mismo... Y, aunque parezca una locura, nos gustaría razonar con él.

»Por eso necesitamos que el día en que se ponga en contacto contigo conectes un pequeño dispositivo a tu móvil, solo eso.

* * *

LA NOCHE

Cae la noche sobre la habitación de una chica que aún no sabe si todo lo que ha vivido ha sido un sueño o una pesadilla. Una chica que, desde que se han ido las dos mujeres, no ha querido salir de su habitación.

Ha estado llorando durante horas hasta que se ha dado cuenta de que no sabía muy bien por qué lloraba. ¿Se puede estar triste por alguien que no existe?

Sí, se ha contestado.

Sí, porque lo que ella siente lo siente de verdad.

Y lo echa de menos, aunque él no sea real; y lo quiere, aunque él no sea real; y está enamorada de él, aunque él no sea re..., aunque no sea humano.

A unas cuantas calles de allí, un chico con nueve dedos y medio continúa en la cama intentando encontrar alguna relación entre Betty y Alex. Se ha dado cuenta de que hace ya muchos días que este último no publica nada y se extraña.

En la casa de al lado, otra chica, de dieciséis años, lleva días consultando por internet clínicas estéticas para inyectarse bótox en los labios y así tenerlos tan grandes como los de las *influencers* a las que sigue.

En otra parte de la ciudad, en un pequeño apartamento, unos padres escuchan, a través de la televisión, todo lo malo que ocurre en el mundo. Suspiran tranquilos al saber que su hija de trece años, a esas horas de la noche, está en su habitación, segura. Lo que no piensan es que, a través del móvil que le regalaron hace unos días, puede ver desde las últimas novedades en ropa hasta el vídeo de sexo más duro; desde una inocente broma de adolescentes hasta ese vídeo en el que le dan una paliza real a un chico... Lo que tampoco piensan es en toda la información que ella puede compartir con el mundo.

A varios edificios de allí, una pareja que está separada a cientos de kilómetros por motivos de trabajo lleva ya casi una hora hablando a través de sus dispositivos. *Qué suerte poder vernos aunque sea a través de una videollamada*, se dicen sonriendo.

Y mientras todo eso ocurre, miles de chicas se conectan al canal de Xaxa para ver si publica un nuevo vídeo, pero lo único que aparece es una carta. Muchas de ellas, fieles seguidoras, al ver que hace días que ya no hay nada nuevo, han buscado otras *influencers* a las que seguir. Las han encontrado enseguida y, desde hace ya varias noches, se han suscrito a sus canales.

* * *

En otra zona de la ciudad, un chico con una cicatriz en la ceja se ha encerrado en su habitación para continuar viendo vídeos de esos que tanto le gustan.

A varias calles de distancia una mujer está feliz, muy feliz, porque hoy, en todo el día, nadie se ha dirigido a ella con el apodo de *profebotella*. Nadie lo ha pronunciado, no lo ha visto escrito en la pizarra, no le ha llegado ningún mensaje... *Ojalá se vayan olvidando*... piensa.

A tres manzanas de allí, un *influencer* ya adulto que tiene unos cuantos miles de seguidores ha vuelto a chantajear a un restaurante: o le deja cenar gratis o le pone una reseña negativa. Lleva haciendo lo mismo durante meses. Ha usado esa misma táctica para que una tienda de videojuegos le regale uno, para que una peluquera le corte el pelo sin pagar...

En dos puntos distintos de la ciudad, separados por muchas calles y edificios, dos adolescentes se sienten más cerca que nunca. Él, desde que está con Kiri ya ha dejado de hablar con esa chica de Meeteen, que extrañamente comparte sus mismas aficiones, sus mismos gustos, que siempre se interesa por él, que le hace mil preguntas... que incluso le da información sobre superhéroes que él no conoce. Extraño. *¿Cómo puede existir una chica así, tan parecida a mí?* Se pregunta.

Kiri y el chico que un día fue invisible hablan a todas horas, casi siempre a través de mensajes en el móvil. Pero hay dos palabras que aún no se han dicho, que ninguno de los dos se ha atrevido a escribir.

Será ahora, justo antes de darse las buenas noches por quinta vez consecutiva, cuando uno de ellos, no desvelaremos quién, escribirá esas dos palabras.

Y temblando le dará al botón de enviar.

Y dejará de respirar hasta ver la respuesta. Un segundo.

Dos segundos.

Tres segundos, ya una eternidad. *Escribiendo...* le aparece en la pantalla. Y la espera será terrible.

Y en la pantalla del móvil aparecerá también un *Te quiero*, ocho letras capaces de borrar todos los malos momentos vividos.

A muchos kilómetros de allí, fuera de la ciudad, una chica con el pelo violeta ha encontrado un lugar seguro para pasar unos días. Apenas se ha llevado una mochila con algo de ropa, un poco de dinero que tenía ahorrado y la llave de una cabaña en el bosque. No tiene móvil y, extrañamente, ahora, incomunicada, es cuando más segura se siente.

En este preciso instante está sentada sobre una piedra, bajo el cielo, viendo, gracias a la luna, cómo el viento mueve las ramas. Solo hace eso, nada más: observa cómo los árboles bailan. No hay notificaciones, ni *likes*, ni comentarios, ni vídeos, ni sonidos, ni *haters*... nada. Las únicas luces que ve son las que se encienden sobre ella, a millones de kilómetros. No recuerda haberse sentido así, tan feliz, nunca.

Y ya bien entrada la madrugada, en una habitación donde una chica lleva horas intentando asumir todo lo que le ha ocurrido, intentando no llorar más por alguien que no sabe muy bien si existe, de pronto suena una notificación que rompe el silencio de la noche.

La chica, Betty, se levanta lentamente.

Se acerca al escritorio.

Coge el móvil y lee el mensaje que le acaba de llegar.

—Hola, Bitbit, te he echado de menos.

* * *

Gracias.

Esta es una de mis palabras preferidas.
Gracias por estar ahí libro tras libro.

Gracias por todos los mensajes y muestras de cariño
que me hacéis llegar tanto por las redes como
presencialmente en las firmas.

Siempre intento tratar en mis novelas temas un tanto
incómodos, temas que os emocionen, que os hagan pensar.
Espero haberlo conseguido también en esta ocasión.

Este libro se acabó de imprimir
en septiembre de 2024